Blwyddyn Ysgol

Eiflyn Roberts

CYHOEDDIADAU'R
GAIR

Cyflwynedig
i Elwyn, Llinos a Sioned
ac i'r holl blant a fu o dan fy ngofal yn
Ysgol Nant y Coed, Cyffordd Llandudno

ⓗ Cyhoeddiadau'r Gair 2004

Testun: Eiflyn Roberts

Golygydd Cyffredinol: Aled Davies

ISBN 1 85994 483 3
Argraffwyd yng Nghymru

Cyhoeddwyd gan:
Cyhoeddiadau'r Gair, Cyngor Ysgolion Sul Cymru,
Ysgol Addysg, PCB, Safle'r Normal,
Bangor, Gwynedd, LL57 2PX.

Printed by Bell & Bain Ltd., Glasgow

Cyflwyniad

Un o'r gofynion sydd yn wynebu pob athro yn achlysurol, yw bod yn gyfrifol am gynllunio ac arwain gwasanaeth, neu hyfforddi rhai o blant y dosbarth i wneud hynny. Mae'r gyfrol hon yn cynnwys 190 o wasanaethau gwreiddiol ar gyfer ysgolion cynradd. Maent wedi eu gosod o fewn tri thymor blwyddyn ysgol – pum gwasanaeth ar gyfer pob wythnos, a phob wythnos yn ymdrin â thema arbennig. Nid oes angen glynu'n ddeddfol at y drefn.

Lluniwyd nifer o'r gwasanaethau hyn i gydfynd â'r Cwricwlwm Cenedlaethol Cymreig - er enghraifft, hanes Dewi Sant, yr arlunydd Kyffin Williams, Sefydliad yr Urdd a'r cyfansoddwr Karl Jenkins. Mae modd addasu bron bob gwasanaeth ar gyfer unrhyw oed ac mae awgrymiadau yma ac acw ar sut y gall hyd yn oed y plant ieuangaf gyflwyno eu syniadau eu hunain. Gydag ambell wasanaeth nodir pa dafluniau neu adnoddau gweledol a fydd eu hangen er mwyn atgyfnerthu'r pwnc dan sylw.

Cefais bleser mawr yn trefnu'r gwasanaethau yn ddyddiol yn Ysgol Nant y Coed, Cyffordd Llandudno, hyd nes i mi ymddeol. Cefais yr un pleser yn paratoi'r gyfrol hon ar gyfer ei chyhoeddi.

Hoffwn ddatgan fy niolch diffuant i'r canlynol:
Mr Arwel Huws Roberts a Mrs Ann Lewis, Pennaeth a Dirprwy Ysgol Nant y Coed, am ganiatâd i gyhoeddi'r gyfrol.

Yr athrawon yn yr ysgol, am gael defnyddio rhai o'u syniadau.

Cyfaill sy'n dymuno bod yn ddi-enw am ddarllen a chywiro'r proflenni.

Parch Aled Davies, Cyhoeddiadau'r Gair am gyhoeddi'r gyfrol, ac am ei arweiniad a'i gymorth parod.

Fy nheulu, Elwyn, Llinos a Sioned am eu hamynedd a'u cefnogaeth tra oedd y gwaith yn cael ei baratoi.

Hyderaf y bydd y gyfrol hon *Blwyddyn Ysgol* o fudd i athrawon yn ein hysgolion ar hyd a lled Cymru.

Eiflyn Roberts

Rhagair

Fel un a fu'n addysgu am bron i ddeng mlynedd ar hugain mewn ysgol yn un o ardaloedd Cymreiciaf Cymru, gwn pa mor anodd ar adegau oedd cael gafael ar adnoddau yn yr iaith Gymraeg, yn enwedig adnoddau o safon. Roedd pethau felly yn brin ac oherwydd hynny yn cael eu gwerthfawrogi'n fwy o lawer. Fel sawl athro arall, chwilio'n ddyfal am adnoddau da yn y Saesneg yr oeddwn innau'n gorfod ei wneud a mynd ati wedyn i gyfieithu rhannau ohonynt, os nad y cyfan i'r Gymraeg. Bellach mae'n rhaid cydnabod bod pethau wedi newid ychydig. Oes, mae yna fwy o adnoddau Cymreig a Chymraeg ar gael yn awr i athrawon ac addysgwyr, ond rydym ymhell o fod yn y baradwys honno y mae ein cyd-athrawon dros Glawdd Offa yn cael eu hunain ynddi, o ran maint yr adnoddau sydd ar gael iddynt.

Dyna paham y mae'n bleser o'r mwyaf cael ysgrifennu'r ychydig eiriau hyn fel rhagair i'r gyfrol hon y gwn y bydd galw a defnydd mawr ohoni gan athrawon sy'n gweithio yn ein hysgolion cynradd. Cyfrifoldeb breintiedig ac arbennig iawn yw hwnnw sydd yn cael ei ysgwyddo gan y sawl sy'n arwain addoliad mewn ysgol. Er mai ychydig funudau o'r cyfnod addysgu sydd ar gael yn ddyddiol i gynnal addoliad, mae'r gwasanaethau gorau yr wyf i wedi eu gweld a bod yn rhan ohonynt mewn ysgolion cynradd yn ffrwyth gwaith ymchwil a meddwl dyfal. Mae hyn yn bwysig er mwyn i'r sawl sy'n rhan o'r gynulleidfa sy'n gwrando, yn blant ac athrawon, dderbyn y neges sydd ynghlwm wrthynt. Wrth fynd ati i baratoi gwasanaethau bydd y gyfrol hon yn sicr o ennill ei phlwy'. Bu'r awdures, Eiflyn Roberts, yn addysgu am flynyddoedd mewn ysgolion cynradd yn Sir Gwynedd a Chonwy. Bu hefyd yn Bennaeth Babanod yn Ysgol Nant y Coed, Cyffordd Llandudno lle'r oedd hi'n gyfrifol am holl drefniadau addoli ar y cyd.

'Cadw, mi gei', meddai'r hen ddihareb, a thros y blynyddoedd fe gadwodd yr awdures gopïau o'r gwasanaethau hynny a ddefnyddiodd hi ac a fu'n llwyddiannus ganddi hi a'i chyfoedion. O ganlyniad, mae yn y gyfrol hon stôr werthfawr o wasanaethau sydd wedi eu treialu'n dda, un ar gyfer pob diwrnod mewn blwyddyn ysgol, wedi eu dosbarthu dros dri thymor. Mae yma storïau am Dduw a'i Fab Iesu Grist; am gewri'r ffydd dros y canrifoedd; am ddathliadau ac am wyliau mawr y Cristion; am feirdd, dramodwyr, llenorion ac artistiaid ym myd celf a cherddoriaeth; am gymdeithas; am ogoniannau byd natur a llawer mwy. Dyma adnodd buddiol dros ben i bob ysgol a hir bo'r defnydd ohono.

Tegid Roberts
Cyfarwyddwr Addysg Esgobaeth Bangor

CYNNWYS

Tymor 1

Calendr

(Adnoddau – 3 Chalendr, (i) Ionawr- Rhagfyr, (ii) Adfent, (iii) Blwyddyn ysgol)

Pwy fedr ddweud beth ydi'r dyddiad heddiw? Ie Medi'r —. Beth ydi hwn? *(Dangos calendr)*

Dyma dri chalendr ac mae pob un yn wahanol. Dyma'r calendr cyntaf. Mi gefais i hwn yn anrheg Nadolig ac mae o wedi bod i fyny ar wal y gegin gen i ers Ionawr y 1af. Dyma'r math o galendr y bydd y rhan fwyaf ohonom yn ei ddefnyddio – mae'n dechrau efo mis Ionawr ac yn gorffen efo mis Rhagfyr. Dyna pam y byddwn yn dweud "Blwyddyn Newydd Dda" wrth ein gilydd ar ddechrau mis Ionawr – y mis cyntaf yn ein blwyddyn newydd.

Mae llawer o bobol dros y byd i gyd yn dathlu blwyddyn newydd ar adegau gwahanol. Mae pobol Tsieina yn dathlu eu blwyddyn newydd ym mis Chwefror ac yn cael gorymdaith liwgar trwy'r strydoedd.

Pwy fedr ddweud pa fath o galendr ydi hwn? Ie Calendr Adfent. Rydan ni'n agor ffenest bob dydd yn y calendr hwn nes bydd diwrnod Nadolig yn cyrraedd. Mae 'na lawer o bobol yn dweud mai Adfent ydi dechrau'r flwyddyn grefyddol. Mae hynny tua diwedd Tachwedd, rhyw fis cyn y Nadolig.

Dyma galendr arall – sef ein calendr ni yn yr ysgol. Ar ôl gwyliau'r haf mae pawb wedi symud i ddosbarth newydd a rhai wedi symud i ysgol newydd. Byddwch yn y dosbarth newydd yma am flwyddyn. Felly mae'r wythnos hon ar ddechrau mis Medi yn ddechrau blwyddyn newydd yn yr ysgol.

Gweddi:

Diolch i Ti O Dduw am y gwyliau a gawsom ers mis Gorffennaf, am hwyl a sbri gyda'n teuluoedd a'n ffrindiau. Mae'r wythnos hon ym mis Medi yn ddechrau blwyddyn newydd i ni yn yr ysgol. Dysg ni i wneud adduned i ni'n hunain ac i'n hathrawon, ein bod am roi ein gorau i bob dim y byddwn yn ei wneud yn ystod y flwyddyn sydd i ddod.

Amen

Gweithio fel tîm

Mae pawb ohonom wedi cael tua 6 wythnos o wyliau dros yr haf. Bu rhai ohonom yn ymweld â lleoedd fel Alton Towers a Camelot gyda'n teuluoedd. Eraill wedi bod i ffwrdd mewn gwledydd tramor, a rhai wedi bod yn chwarae efo'u ffrindiau.

Os buoch chi'n chwarae pêl-droed, fe wyddoch fod pawb yn y tîm efo rôl arbennig. Mewn tîm pêl-droed mae na 11 o chwaraewyr, i gyd o dan ofal eu capten. Rhai yn flaenwyr, rhai yn asgellwyr, rhai yn fewnwyr, rhai yn amddiffyn ac un chwaraewr yn amddiffyn yn y gôl. Ond mae 'na fwy na hyn yn gweithio i wneud y tîm yn un da – y rheolwr, yr hyfforddwr, a'r llinellwyr. Os ydi pawb yn gwneud eu gorau, yna mae'r tîm yn fwy tebygol o ennill.

Felly mae hi mewn ysgol. Y Prifathro sydd yn gofalu am yr ysgol. Yr athrawon sy'n gyfrifol am y dosbarthiadau Y plant sy'n dysgu a gweithio yn y dosbarth. Y Llywodraethwyr sy'n gofalu fod yr ysgol yn cael ei rheoli yn iawn. Mae gweinyddesau cinio yn coginio ac yn helpu amser bwyd, a'r gofalwr a'r merched glanhau yn gwneud yn siŵr fod y lle yn lân. Mae'r swyddog croesi ffordd yn eich helpu i ddod i'r ysgol a mynd adref yn ddiogel. Mae'r rhieni yn helpu trwy gefnogi yr ysgol a chynnal noson goffi neu rywbeth tebyg. Os ydi pawb sydd yn yr ysgol yn gweithio efo'i gilydd fel tîm, yna mae'r ysgol yn un dda.

Rhaid i bawb ohonom felly wneud ein gorau i gydweithio efo pawb arall yn y tîm. I gael y gorau mae'n rhaid **rhoi** ein gorau a dyna ddylai adduned pob un ohonom fod ar ddechrau blwyddyn newydd yn yr ysgol.

Gweddi:
Ar dymor cyntaf ein blwyddyn ysgol, dysg ni i ymfalchïo yn ein hysgol ac i gydweithio gyda'n gilydd fel tîm, fel bod yr ysgol hon yr un orau a allwn ei gwneud.

Amen

Y Corff

(Adnoddau – llun o'r corff)

Yn ystod y flwyddyn bydd ambell ddosbarth yn dysgu am y corff, sut mae'r corff yn gweithio, beth mae pob rhan o'r corff yn gallu ei wneud. Mae na gân o'r enw "Dem bones" sy'n sôn am bob asgwrn yn y corff a sut mae'r esgyrn i gyd wedi eu cysylltu â'i gilydd.

1.   Mae gen i ddwy fraich a dwy law. Mae fy mreichiau yn fy helpu i wneud pethau fel ymarfer corff, nofio a chwarae pêl rwyd. Gallaf wneud pob math o bethau efo fy nwylo – paentio, sgwennu a choginio.

2.   Mae gen i ddwy goes a dwy droed. Mae fy nghoesau yn fy helpu i redeg, nofio a reidio beic. Gallaf ddefnyddio fy nhraed i ddawnsio a chicio pêl.

3.   Mae gen i ymennydd sydd fel cyfrifiadur arbennig yn fy nghorff. Gallaf feddwl, siarad, chwerthin, crïo, gwneud symiau a darllen.

4.   Mae gen i ddwy lygad, dwy glust, un trwyn ac un geg i mi gael gweld, clywed, arogli, blasu a siarad.

5. Mae gen i galon sydd yn fy nghadw yn fyw ac mae gen i ysgyfaint sydd yn gwneud i mi allu anadlu.

Os ydi pob rhan o'r corff yn gweithio'n iawn gallwn gael corff iach. Felly yn yr ysgol hefyd. Rydan ni i gyd yn rhannau bychain o fewn yr ysgol. Mae rhai ohonom yn dda am ddarllen, rhai yn dda am sgwennu, rhai yn dda am wneud rhifyddeg, rhai yn dda am ganu, rhai yn dda am chwaraeon a rhai yn dda am arlunio. Mae pob rhan yn bwysig er mwyn gwneud ysgol yn ysgol dda.

Gweddi:
Dysg ni i roi ein gorau i bob dim 'rydan ni'n ei wneud yn yr ysgol. Gwna ni'n ddigon gwylaidd i ofyn am gymorth os ydi'r gwaith yn ymddangos yn anodd. Dysg ni i beidio â brolio os ydan ni'n digwydd bod yn well na phlant eraill.

Amen

Rheolau

(Adnoddau – lluniau o arwyddion ffordd)

Ydach chi wedi gweld arwyddion fel hyn o'r blaen? Ymhle? Pwy sy'n gwybod beth mae'r arwyddion yn ddweud?

(Dangos ychydig o arwyddion ffyrdd neu ddarluniau ohonyn nhw e.e. arhoswch, beicwyr yn unig a.y.y.b.)

Arwyddion ffyrdd ydyn nhw. Os gwnewch chi sylwi'n ofalus, mae rhai o'r arwyddion yn dweud wrthych am **beidio** â gwneud rhai pethau, a rhai yn dweud wrthych **am** eu gwneud. Beth am eu rhannu felly yn ddau grŵp. Beth fyddai'n digwydd pe taech yn anwybyddu'r arwydd?

Mae'r un peth yn digwydd mewn ysgol. Mae 'na rai rheolau yn dweud wrthych am **beidio** â gwneud rhai pethau a rheolau eraill yn dweud wrthych **beth** i'w wneud. Beth am rannu'r rheolau yma eto yn ddau grŵp.

Peidiwch â rhedeg yn y cyntedd.
Peidiwch byth ag ymladd ar y buarth.
Gwnewch eich gwaith cartref bob wythnos.
Helpwch blant bach yn y Babanod.
Peidiwch â rhegi.
Gofalwch fod eich gwaith yn daclus.
Cofiwch ddweud "Diolch" ac "Os gwelwch yn dda".
Peidiwch â bod yn hwyr i'r ysgol.

Fedrwch chi feddwl am reolau eraill?

Cofiwch fod dilyn rheolau ar y ffordd yn ei gwneud yn fwy diogel i bawb arall. Cofiwch fod cadw rheolau mewn ysgol yn gwneud i bawb yn yr ysgol fod yn drefnus ac yn hapus.

Gweddi:
Dysg ni O Dduw i edrych ar ôl rhai sydd angen ein cymorth yn yr ysgol, yn enwedig y plant bach sydd yn dod i'r ysgol am y tro cyntaf. Rho amynedd i ni i'w dysgu am y rheolau sydd gennym yn yr ysgol hon, fel bod bywyd pawb yma yn un hapus a diogel.

Amen

Ffrindiau

(Esiampl o wasanaeth lle y gall plant ifanc gymryd rhan)

Fy ffrind i ydi ………. Mae ……… a fi yn chwarae efo'n gilydd amser chwarae. Ambell dro dw i'n mynd i dŷ ….. ar ôl yr ysgol.

Fy ffrind i ydi ……. Mae …… a fi yn yr un grŵp yn yr ysgol. Ar fore dydd Sadwrn bydd ….. a fi yn mynd i chwarae yn y tîm pêl-droed. Bydd tad ……. yn mynd â ni un dydd Sadwrn, a Dad yn mynd â ni ar y Sadwrn wedyn.

(a.y.y.b.)

Mae llawer o blant newydd yn yr ysgol yr wythnos hon, yn enwedig yn y Dosbarth Derbyn. Mae'n bwysig iawn fod pob un yn cael ffrind. Gair arall am ffrind yw cyfaill. Mae ffrind yn rhywun arbennig iawn. Byddwn yn rhannu cyfrinach efo ffrind. Byddwn yn chwarae efo ffrind yn yr ysgol ac ambell ddiwrnod ar ôl mynd adref. Byddwn yn drist os yw ein ffrind yn symud i fyw ymhell i ffwrdd. Mae rhai pobol yn dweud:

"Make friends, make friends,
Never, ever break friends."

Felly ffrind yw rhywun y gallwn gael ar hyd ein bywyd.

Os gwelwch chi rai o'r plant newydd yn unig neu'n drist, trïwch ddod i'w nabod a bod yn garedig wrthyn nhw nes y byddan nhw wedi setlo.

Roedd gan Iesu Grist ddeuddeg o ffrindiau arbennig iawn. Roedden nhw'n cael eu galw yn ddisgyblion ac roedden nhw'n dilyn a gwarchod yr Iesu ble bynnag yr oedd o'n mynd.

Gweddi:
Diolch i Ti am ein hysgol ac am y cyfle i gael gwneud ffrindiau newydd. Dysg ni i fod yn ffyddlon i'n ffrindiau ac yn garedig wrth bawb o'n cwmpas.

Amen

Duw yn gofalu trwy eraill

Wrth edrych trwy'r ffenest un bore, mi welais i gath ddu a gwyn yn yr ardd. Dydw i ddim yn hoff iawn o gathod am eu bod nhw'n lladd adar bach. Dw i'n hoffi bwydo'r adar – dyna fy ffordd i o ofalu amdanyn nhw – ond mae'n rhaid i mi fod yn ofalus iawn lle dw i'n rhoi'r bwyd. Os rho' i o ar y pridd bydd y gath yn siŵr o ddal a lladd yr adar. Felly mae'n rhaid i mi roi'r bwyd yn uchel i fyny, allan o gyrraedd y gath. Ond mae 'na 'ychydig o fwyd yn siŵr o syrthio ar lawr, a dyna pryd mae cywion yn dysgu beth yw perygl.

Rhyw fore mi welais i gyw deryn yn pigo briwsion y bwyd oddi ar y pridd. Sŵn adar yn trydar a oedd wedi fy nenu at y ffenest. Roedden nhw'n trydar er mwyn rhybuddio'r cyw fod y gath wedi ei weld. Roedd hi'n cuddio tu ôl i'r pot blodau, ei chefn wedi crymu, yn barod i neidio a lladd. Wrth lwc fe glywodd y cyw y trydar cyn i mi guro'r ffenest i'w ddychryn. Ehedodd i ffwrdd cyn cael ei niweidio.

Roedd yr adar profiadol wedi rhybuddio'r cyw, ac wedi gofalu amdano fel mae ein rhieni ni yn gofalu amdanom ni.

Mae 'na lawer o bobl heblaw ein rhieni ni sy'n gofalu amdanom. Pan ydych chi'n sâl, pwy sy'n eich gwella? Pwy sy'n gofalu amdanoch chi pan ydach chi yn yr ysbyty? Ac at bwy yr ewch chi os oes ganddo chi ddannodd?

Dyna sut mae Duw yn dangos gofal. Mae o'n gweithio trwy bobol eraill. Gall o hefyd ddisgwyl i ni helpu pobol sydd angen ein cymorth ni.

Gweddi:
Diolch i Ti O Dduw am bawb sydd yn gofalu amdanom. Dysg ni y gallwn ninnau hefyd ofalu am eraill, yn enwedig rhai sydd ddim yn gallu gofalu amdanynt eu hunain.

Amen

Duw yn helpu

(Tri phlentyn wedi eu gwisgo mewn gwisg heddwas, swyddog croesi'r ffordd a gyrrwr ambiwlans)

Mae tri o'r plant heddiw wedi gwisgo mewn dillad arbennig. Pwy fedr ddweud pwy ydi'r bobl hyn?

1. Heddwas
2. Dynes sydd yn helpu'r plant i groesi'r ffordd
3. Gyrrwr ambiwlans

Plismon neu heddwas ydi'r cyntaf. Mae llawer o bobl yn meddwl mai gwaith yr heddlu yw cadw heddwch, a dal y rhai sydd wedi torri'r gyfraith. Ond pe bae chi ar goll yn rhywle, yn enwedig mewn dinas fawr, y plismon fyddai'r person cyntaf i'ch helpu. Peidiwch â bod ofn mynd at blismon. Mae'n well gofyn i blismon am help na gofyn i rywun dieithr.

Yr ail berson sy'n eich helpu yw'r dyn neu'r ddynes welwch chi tu allan i'r ysgol cyn i'r ysgol agor yn y bore a phan mae pawb yn mynd adref o'r ysgol yn y pnawn. Welwch chi beth sydd wedi ei sgwennu ar yr arwydd mae'n gario? "Arhoswch, plant yn croesi." Mae'n rhaid bod yn ofalus iawn wrth groesi'r ffordd yn enwedig ar adegau prysur. Y person yma sy'n gyfrifol am eich diogelwch ac mae'n rhaid i chi wrando arno fo neu hi.

Y trydydd person sy'n ein helpu yw'r dyn neu ddynes ambiwlans. Eu gwaith yw helpu pobol, rhai sy'n ddifrifol o sâl, rhai sydd wedi cael damwain, neu bobol mewn oed sydd angen eu cludo i ysbyty. Sylwch y tro nesaf y gwelwch chi ambiwlans – faint o ddynion ambiwlans sydd 'na. Ie, dau. Un i yrru'r ambiwlans a'r llall i helpu a gofalu am y bobol sâl.

Dyna sut mae Duw yn helpu – defnyddio pobl eraill i'n helpu ni. Fedrwch chi feddwl pwy arall sy'n ein helpu o ddydd i ddydd? Fedrwch chi feddwl hefyd beth fedrwn ni ei wneud i helpu eraill?

Gweddi:
Defnyddia fi O Dduw i fod o gymorth i eraill, i helpu rhywun sydd wedi syrthio, i helpu rhywun hen, i helpu plant llai na ni yn yr ysgol.

Amen

Duw yn maddau

A oes ganddo chi rywbeth sy'n werthfawr iawn i chi? Dim yn unig rhywbeth sy'n werth pres ond rhywbeth sy'n arbennig i chi a neb arall.

Roedd na deulu yn byw ddim yn bell o fan hyn,- tad, mam a dau o hogiau – Dylan a Dewi. Perchennog siop oedd y tad, a gwaith mam oedd gofalu am y tŷ, mynd â'r plant i'r ysgol, coginio a glanhau. Byddai'n mynd allan o'r tŷ am ryw hanner awr bob dydd er mwyn helpu hen wraig o'r enw Mrs Watkins a oedd yn byw drws nesaf.

Un tro roedd yn rhaid i Dewi aros adref o'r ysgol oherwydd ei fod yn teimlo'n sâl. Piciodd ei fam drws nesaf i ddweud wrth Mrs Watkins na fuasai hi'n gallu aros y diwrnod hwnnw. "Mae Dewi'n sâl heddiw," meddai "felly fydda i ddim yn aros mwy na dau funud. Dim ond picio i weld os ydach chi'n iawn. Mi arhosa i'n hirach fory os bydd o'n ôl yn yr ysgol". Yn sydyn, clywodd sŵn rhywbeth yn torri drws nesaf a chyn i Mrs Watkins gael cyfle i ddweud dim, rhedodd mam Dewi adre i weld beth oedd wedi digwydd. Roedd Dewi'n beichio crio. "Beth sydd wedi digwydd?" gofynnodd ei fam iddo, ac wedyn mi welodd drosti ei hun. Ar lawr y gegin, gwelodd hen debot gwerthfawr ei Nain a hwnnw'n deilchion ar y llawr. "Sori Mam" meddai Dewi. "Rown i am neud paned i chi – syrpreis i fod, ond pan afaelais i yn y tebot, mi lithrodd allan o fy llaw a syrthio ar y llawr. Trio helpu o'n i!"

Roedd Mam Dewi yn flin oherwydd roedd yr hen debot yn un arbennig iawn ond wnaeth hi ddim dwrdio na cheryddu Dewi. Roedd o wedi ymddiheuro ac felly fe wnaeth hi faddau iddo.

Wrth ddweud Gweddi'r Arglwydd, byddwn yn gofyn i Dduw faddau i ni, ac mae yntau hefyd yn disgwyl i ni faddau i bobol eraill os ydyn nhw wedi gwneud rhywbeth o'i le.

Gweddi:
Wrth dyfu i fyny O Dduw dysg ni i wybod beth sydd yn dda a beth sydd yn ddrwg. Ambell dro byddwn yn flin ein bod wedi gwneud rhywbeth na ddylem. Gwna ni'n barod i gyfaddef, i ddweud y gwir ac i ymddiheuro trwy ddweud 'Mae'n ddrwg gen i'. Er mwyn Iesu Grist.

Amen

Duw yn Arwain

Heddiw dw i am ddweud stori wrtho chi a gafodd ei hysgrifennu amser maith yn ôl – stori ydi hi o'r Beibl, am ddyn o'r enw Moses.

Roedd Pharo, Brenin yr Aifft yn gyrru'r Israeliaid allan o'u gwlad. Dyn o'r enw Moses oedd yn gofalu amdanyn nhw. Roedden nhw'n bobol dda a oedd yn addoli Duw. Roedd Duw wedi deud wrthyn nhw am ddianc i wlad Canaan ac er mwyn dangos y ffordd iddyn nhw rhoddodd Duw golofn o niwl o'u blaen yn y dydd, a cholofn o dân o'u blaen yn y nos. Ar ôl iddyn nhw groesi'r anialwch gwelodd Moses fod Pharo wedi gyrru milwyr ar eu holau, a'r unig ffordd i'w hosgoi oedd boddi yn y môr a oedd o'u blaenau. Dywedodd Duw wrth Moses am godi ei ffon uwchben y môr, a phan wnaeth o hynny, gwelodd pawb y môr yn rhannu yn ddau ac yn gwneud llwybr llydan i'r Israeliaid gael croesi drwyddo yn ddiogel.

Ymhellach ymlaen ar y daith hir i'w gwlad newydd, cafodd Moses neges arall gan Dduw sef rhestr o reolau ar sut y dylai'r Israeliaid fyw yn dda, er enghraifft, peidio lladd a pheidio dwyn eiddo rhywun arall. Galwyd rhain y deg gorchymyn ac maent yn cael eu defnyddio mewn rhai gwasanaethau heddiw.

Yn y stori yna fe welsom ni sut oedd Duw yn arwain Moses ac yn dangos iddo beth i'w wneud a ffordd i fynd. Mae na lawer o bobol heddiw sydd yn ein harwain ni. Mae athrawon yn yr ysgol yn ein dysgu ac yn rhoi cyngor i ni. Allan ar y buarth mae hyfforddwyr yn ein dysgu sut i chwarae'n deg. A phan awn ni i'r ysgol uwchradd byddwn yn cael cyngor ar ba yrfa i'w chymryd. Dyna sut mae Duw yn ein harwain heddiw – trwy'r arweiniad mae pobol eraill yn ei roi i ni.

Gweddi:
Yn yr ysgol hon O Dduw, gwna ni'n ufudd i'n hathrawon, yn ffyddlon i'n ffrindiau, yn daclus yn y dosbarth, yn ddistaw yn y neuadd, yn ofalus yn yr ystafell fwyta ac yn gyfeillgar wrth bawb ar y buarth. Er mwyn Iesu Grist.
Amen

Duw yn cysuro

Heddiw, fe gewch chi fy helpu i. Rydan ni am wneud rhestr o bob dim sydd yn ein gwneud ni'n drist.

(gwneud rhestr o syniadau'r plant)

Dw i'n gwybod pan rydw i'n drist, mi fyddaf yn teimlo'n well os ca'i siarad efo rhywun am fy mhroblemau. Mae 'na ddywediad yn Saesneg *"A problem shared is a problem halved."* Mae cael rhywun i wrando ar beth sy'n fy mhoeni yn gwneud i mi deimlo'n well.

Gadewch i ni fynd yn ôl at y rhestr eto a gweld pwy sydd 'na i'n cysuro os oes ganddo ni broblem.

e.e. colli anifail anwes – rhiant yn cysuro, neu ffrind, neu athro

rhywun yn ffraeo neu'n gas - ffrind yn cysuro

methu gwneud gwaith neu'r gwaith yn anodd – athro yn helpu

wedi brifo – mam yn cysuro

Roedd Iesu Grist yn gwybod sut deimlad oedd bod yn drist. Roedd o'n drist pan fu ei ffrind Lasarus farw. Roedd o'n drist os oedd pobol yn gas wrtho. Roedd o'n drist pan oedd o'n gweld pobol yn dioddef. Oherwydd ei fod o'n gwybod beth oedd tristwch, roedd o'n gallu cysuro pobol eraill a oedd yn ddigalon.

Gweddi:
Dysg ni i fod yn garedig wrth bawb o'n cwmpas a gwna i ni sylweddoli mor bwysig ydi rhoi ein hamser i gysuro rhywun os ydyn nhw'n ddigalon.

Amen

Gweld

(Adnoddau – taflun sy'n dangos print wedi ei sgwennu mewn Braille)

Mae gan bawb ohonom 5 synnwyr a bydd rhai ohonoch yn dysgu mwy am y synhwyrau fel rhan o'r gweithgareddau yn eich dosbarth yn ystod y flwyddyn. Pwy sy'n cofio beth ydi'r 5 synnwyr sydd gan bob un ohonom?

Gweld, clywed, blasu, arogli, teimlo

Rydan ni'n disgrifio person sydd ddim yn gallu gweld fel rhywun sydd yn ddall. Sut medrwch chi adnabod rhywun ar y stryd sydd yn ddall? Fel arfer mae ganddyn nhw ffon wen, neu gi arbennig sydd wedi cael ei hyfforddi i'w harwain i bob man. Heddiw mae na bob math o offer ar gyfer pobol sy'n ddall a'r pwysicaf ohonyn nhw ydi Braille. Mae pobol ddall yn gallu darllen llyfr cystal â chi neu fi, ond mae'r print iddyn nhw wedi ei wneud mewn Braille.

Dyma stori'r dyn a wnaeth ei ddyfeisio:

Yn 1809 fe anwyd bachgen o'r enw Louis Braille yn Ffrainc. Byddai ei dad yn gwneud pethau allan o ledr – pethau fel cyfrwy a ffrwyn ar gyfer ceffylau. Pan oedd Louis yn dair oed, aeth i weithdy ei dad i geisio torri ychydig o ledr ar ben ei hun. Llithrodd y gyllell a oedd yn ei defnyddio a'i niweidio yn ei lygad. Collodd ei olwg yn y llygad honno ac ymhen ychydig o amser collodd ei olwg yn y llygad arall. Roedd Louis rŵan yn ddall.

Pan ddechreuodd fynd i'r ysgol roedd yn rhaid i'w chwaer a'i ffrind wneud cryn dipyn i'w helpu. Pan oedd yn naw oed aeth i ysgol ym Mharis.Ysgol arbennig oedd hon lle roedd plant dall yn cael eu haddysg. Roedd Louis eisiau medru darllen llyfrau fel pawb arall yn ei deulu, felly bu'n chwilio am ffordd i gynllunio côd o lythrennau. Pan oedd o'n 15 oed, dyfeisiodd wyddor arbennig ar gyfer y deillion. Roedd patrwm o ddotiau sef tyllau bach trwy'r papur – cyfres o ddotiau gwahanol i bob llythyren. Er mwyn darllen roedd yn rhaid i'r person a oedd yn ddall deimlo'r dotiau efo'u bysedd er mwyn adnabod y llythrennau. Dyna beth yw Braille.

Erbyn heddiw mae Braille yn cael ei ddefnyddio gan y deillion trwy'r byd. Un person arbennig iawn sy'n byw yn Lloegr yw dyn o'r enw David Blunkett. Aelod seneddol ydi o ac mae'n gwneud llawer o areithiau yn

---

Nhŷ'r Cyffredin yn Llundain. Sylwch arno fo os gwelwch chi o ar y teledu. Fel mae'n siarad, mae ei fysedd yn symud yn sydyn dros y nodiadau mewn Braille sydd o'i flaen. Mae ganddo gi hefyd sydd yn ei arwain i ba le bynnag mae ei feistr eisiau mynd.

Gweddi:
Diolch i Ti O Dduw am bobol fel Louis Braille a gafodd y weledigaeth i greu gwyddor arbennig i bobol sydd yn ddall. Dysg ni i fod yn amyneddgar gyda phawb sydd angen ein cymorth.

Amen

Blasu

(Esiampl o wasanaeth y gall plant ei lunio eu hunain, yn ôl eu gallu)

Mae gen i dafod yn fy ngheg. Mae fy nhafod yn fy helpu i siarad a chanu. Fy nannedd sydd yn torri a malu'r bwyd dw i'n ei fwyta ond fy nhafod sy'n gwneud i mi allu blasu'r bwydydd. Gall tafod ddangos hefyd os ydi diodydd yn oer neu'n boeth.

Mae rhai bwydydd fel sudd lemon a finegr yn sur.
Mae rhai bwydydd fel halen a chreision yn hallt.
Mae rhai bwydydd fel coffi yn chwerw.
Mae rhai bwydydd fel mêl yn felys.

(Gellir cael esiamplau gweladwy er mwyn i'r plant lleiaf ddeall. Gellir hefyd gael ychydig o blant i ddarllen eu syniadau eu hunain am fwydydd a'r blas sydd arnyn nhw.)

"Dw i'n hoffi cael selsig a sglodion i swper. Byddaf yn rhoi halen a finegr ar y sglodion ac yn rhoi saws coch ar y selsig."

a.y.y.b.

Gweddi:

"O Dad yn deulu dedwydd – y deuwn
Â diolch o'r newydd;
Cans o'th law y daw bob dydd
Ein lluniaeth a'n llawenydd."
W.D. Williams

Arogli

Y trydydd synnwyr sydd ganddo ni ydi arogli. Byddwn yn arogli efo ffroenau sydd yn ein trwynau.

Os gwnawn ni edrych ar rai anifeiliaid, mi welwn ni mor bwysig ydi hi iddyn nhw allu arogli. Mae ffroenau rhai anifeiliaid yn llawer gwell na'n ffroenau ni. Gall cŵn arogli rhywbeth cyn ei weld. Dyna pam mae cŵn yr heddlu yn gallu darganfod rhywun sydd ar goll, neu ambell dro mae nhw'n gallu cael hyd i gyffuriau.

Allan yn y wlad mae llwynog yn gallu arogli'r gwynt. Dyna sut maen nhw'n gwybod a oes na anifail arall o gwmpas.

Dydy ni ddim yn gallu arogli cystal ag anifeiliaid ond dyma rai pethau ag arogl da arnyn nhw y gallwn ni eu harogli:
Blodau ffres, persawr, bara yn crasu, bwyd yn cael ei goginio yn y gegin, bwyd yn cael ei goginio ar y barbeciw yn yr ardd, arogl gwymon ar lan y môr, a.y.y.b.

Ond mae na rai pethau ag arogl drwg arnyn nhw:
Nionod, pysgod, arogl o'r ffatri, caws, petrol, gwrtaith ar y fferm.

Fedrwch chi feddwl am rywbeth arall?

Ambell dro, mae arogl yn gallu atal damwain ddifrifol, er enghraifft mae arogl mwg yn ein rhybuddio fod tân yn ymyl.

Gweddi:
Diolch i Ti O Dduw am ein synhwyrau. Rwyt Ti wedi ein creu i ddefnyddio ein llygaid i weld, ein clustiau i glywed, ein ceg i flasu, ein ffroenau i arogli a'n dwylo i deimlo. Dysg i ni ddefnyddio ein synhwyrau yn ddoeth fel y gallwn werthfawrogi pob dim da sydd yn ein byd.

Amen

Clywed

(Adnoddau - drwm, llun cwningen, taflun ystum dwylo, Sonata 9 Beethoven))

(Curo drwm mawr yn galed)

Pa ran o'ch corff sy'n clywed y sŵn yna? Mae pob un ohono' ni efo dwy glust i wrando ac i glywed. Os gwnawn ni edrych ar y lluniau yma, mi welwn ni fod gan anifeiliaid glustiau hefyd.

(Dangos ychydig o luniau)

Dyma i chi ddau lun gwahanol o gwningen. Yn y llun cyntaf mae'r gwningen â'i chlustiau i fyny ac yn yr ail lun mae ei chlustiau i lawr ac yn gwyro'n ôl. Pam tybed? Mae cwningen yn clywed yn well pan mae ei chlustiau ar i fyny. Dyma i chi arbrawf bach. Rhowch eich dwylo tu ôl i'ch clustiau a chwpanu eich dwylo er mwyn symud eich clustiau ymlaen fel hyn. Ydach chi'n clywed yn well efo'ch clustiau ymlaen? A dyna pam mae'r gwningen yn clywed yn well pan mae ei chlustiau i fyny.

Mae na lawer o bobol sydd wedi bod yn fyddar ers iddyn nhw gael eu geni. Oherwydd hynny nid ydyn nhw'n gallu dysgu siarad am nad ydyn nhw'n clywed eu lleisiau eu hunain. Mae ganddyn nhw ffordd arbennig o siarad efo'i gilydd trwy ddefnyddio eu dwylo. Mae ystum llaw yn sefyll am air. Dyma i chi sut y byddai person byddar yn dweud "Iesu", "Arglwydd" a "Gwaredwr" trwy ddefnyddio ei ddwylo. Ambell dro fe welwch chi rywun yn siarad felly ar y teledu – yn enwedig pan mae'r newyddion yn cael eu darllen.

Ryda ni'n ffodus ein bod yn gallu clywed yn iawn. Pwy sydd wedi clywed am Andrea Bocelli? Oherwydd ei fod wedi bod yn ddall ers ei eni, mae'n gorfod dibynnu mwy ar ei synhwyrau eraill. Dysgu canu trwy glywed a gwrando a wnaeth, ac mae hynny wedi'i alluogi i fod yn ganwr byd enwog. Cerddor enwog arall oedd Beethoven. Fe gollodd ei glyw pan oedd o'n eithaf ifanc. Dyma i chi ddarn o gerddoriaeth a gyfansoddodd o pan oedd o'n dechrau mynd yn fyddar.

(Tâp neu C Dd – Sonata Rhif 9)

Doedd o ddim yn gallu clywed y miwsig ond os gwrandewch chi'n ofalus, mae'r miwsig yn dweud wrtho chi am deimladau Beethoven. Roedd o'n flin am nad oedd o'n gallu clywed ei gerddoriaeth ei hun.

Gweddi:

Diolch i Ti O Dduw am y rhodd o'r pum synnwyr. Diolch am fedru clywed yr adar bach yn canu, y tonnau'n torri ar lan y môr, a'n ffrindiau yn gweiddi a chwerthin allan ar y buarth. Dysg ni i fod yn amyneddgar efo pobol sydd ddim yn gallu clywed oherwydd henaint neu nam ar eu clyw.

Amen

Teimlo

(Adnoddau – ychydig o ddefnyddiau i'w teimlo)

Rydan ni'n gallu teimlo gwrthrychau efo'n dwylo. Wrth deimlo rhywbeth poeth, mae'r bysedd yn brifo oherwydd wrth gyffwrdd, mae neges yn mynd i'r ymennydd trwy nerfau yn ein corff ac wedyn mae'r ymennydd yn gyrru neges yn ôl, neges fod y gwrthrych yn ddigon poeth i losgi'r croen. Dyna pam ar ôl teimlo rhywbeth poeth y byddwn yn tynnu ein dwylo oddi ar y gwrthrych yn syth.

O'n cwmpas bob dydd mae na bob math o ddefnyddiau. Efallai y medrwch chi fy helpu i i'w rhestru e.e. pren, carreg, plastig, metelau a.y.y.b.

Pe bae ni'n rhoi mwgwd dros ein llygaid a theimlo'r defnyddiau efo'n dwylo, byddai'n rhaid i ni ddyfalu beth ydi'r defnydd. Un ffordd i wneud hyn yw tapio'r gwrthrych i weld pa fath o sŵn mae'n ei wneud, neu trio ei blygu. Ambell dro bydd y gwrthrych yn oer iawn neu ag arogl arno.

(Gellid cael criw bach o blant i ddyfalu e.e. tamaid o ffwr, carreg, tamaid bach o garped, lemwn neu afal, a.y.y.b.)

Pam tybed y mae pobol sy'n ddall mor dda am ddyfalu beth yw gwahanol ddefnyddiau? Roedd Louis Braille mae'n debyg, oherwydd ei fod yn ddall, wedi dysgu ei hun i ddefnyddio'r synnwyr o deimlo yn well na phobol sydd yn gweld.

Mae na gerddor ifanc o'r enw Evelyn Glennie sydd yn enwog iawn am chwarae offerynnau taro. Mae Evelyn Glennie yn fyddar ond pan ofynnodd rhywun iddi hi sut roedd hi'n clywed sŵn offerynnau eraill a sut roedd hi'n gallu cadw amser, ei hateb oedd hyn "Dw i'n gallu teimlo'r dirgryniadau gyda fy nwylo a'm traed. Dyna pam dw i'n perfformio heb esgidiau am fy nhraed."

Gweddi:
Diolch O Dduw ein bod yn gallu teimlo pethau gyda'n dwylo, croen esmwyth babi sydd newydd gael ei eni, ffwr llyfn cath fach neu gi ifanc, petalau meddal y blodau, llyfnder sidanaidd y neidr, croen llithrig y pysgod, a phigau y gastanwydden. Gwna ein dwylo yn rhai caredig at eraill.
Amen

Cartrefi

Bob tro y bydda' i'n mynd i rywle mewn bws, dw i wrth fy modd yn edrych ar y gwahanol fathau o dai sydd o gwmpas. Dyma i chi y mathau o dai a welaf o amgylch ac os edrychwch chi'n ofalus wrth gerdded adref o'r ysgol heddiw, efallai y gwelwch **chi** nifer ohonyn nhw hefyd.

(Gellir dangos lluniau neu ddefnyddio taflun)

1. Tŷ sengl ydi hwn. Mae'n sefyll ar ei ben ei hun.

2. Os ydi dau dŷ ynghlwm wrth ei gilydd, mae nhw'n cael eu galw yn dai pâr.

3. Mae tai sydd mewn rhes yn cael eu galw yn dai teras. Fel arfer mae na risiau mewn tŷ sengl, tai pâr a thai teras. Mae na ystafelloedd ar y ddau lawr.

4. Dyma i chi lun tŷ sydd heb risiau. Mae'r tŷ hwn i gyd ar yr un llawr ac yn cael ei alw'n fyngalo.

5. Fel arfer un teulu sy'n byw mewn byngalo, ond mi fedrwch chi gael llawer mwy nag un teulu yn byw mewn bloc o fflatiau. Os edrychwch chi ar y fflatiau mewn rhai dinasoedd mawr fe welwch chi fod rhai yn uchel iawn.

Dw i'n cofio darllen cerdd Saesneg am dŷ unwaith – cerdd oedd hi am dŷ a oedd newydd gael ei adeiladu. Roedd y tŷ yn drist am nad oedd dodrefn ynddo. Ar ôl cael dodrefn roedd yn dal yn drist oherwydd ei fod eisiau llenni ar y ffenestri i gadw'r gwyntoedd oer allan yn y gaeaf. Ar ôl cael y llenni roedd y tŷ yn dal yn drist oherwydd fod y lloriau yn oer heb garpedi. Ar ôl cael carpedi roedd y tŷ eisiau golau a gwres, ond roedd yn dal yn drist. "Pam wyt ti mor drist?" gofynnodd yr adeiladwr. "Does neb yn byw yma!" meddai'r tŷ. Cyn bo hir fe ddaeth teulu i fyw i'r tŷ newydd, ac o'r diwrnod hwnnw ymlaen fe wenodd y tŷ. Dyna pryd y daeth y tŷ yn gartref.

Gweddi:
Diolch i ti o Dduw am ein cartrefi a'n teuluoedd, ein rhieni, ein brodyr a'n chwiorydd. Cofia am yr holl bobl yn y byd sydd yn unig a heb do uwch eu pennau.

Amen

Adeiladu tŷ

Ydach chi wedi meddwl erioed faint o bobol sydd eu hangen i adeiladu tŷ? Dim ots os ydi o'n dŷ mawr neu'n dŷ bychan, mae'n rhaid cael cynllunydd, contractwr, dynion i osod sylfeini, dynion i osod y briciau, saer coed i wneud y to a'r lloriau a'r distiau, trydanwr i osod y trydan, plymwr i osod y pibelli dŵr, peintiwr i addurno, dynion i osod ffenestri. Mae na drefn i'r adeiladu – rhaid cael sylfaen iawn cyn gwneud y waliau. Rhaid gorffen adeiladu'r waliau cyn dechrau adeiladu'r to.

Fe wnawn ni restr rwan o'r holl ddefnyddiau sydd eu hangen i adeiladu tŷ (tywod, sment, cerrig, concrit, briciau, llechi neu deils, pren, plastig, gwydr, gwifrau, pibelli a.y.y.b.)

(Defnyddio cyfres o luniau, to, waliau, ffenestr a.y.y.b. a chael y plant lleiaf i gysylltu enw â llun)

Mae'n bwysig fod yr holl weithwyr yn gwneud eu gwaith yn dda. Os ydi'r wal ddim yn syth, fe fydd yn syrthio. Os ydi'r to ddim yn berffaith, fe fydd dŵr yn dod i mewn ar ddiwrnod glawog, os ydi'r gwifrau trydan ddim yn iawn fe all y tŷ fynd ar dân.

Mi wn i am adeiladwr tai sy'n byw wrth ymyl fy nghartref i. Mae o erbyn hyn wedi ymddeol o'i waith. Mae ganddo gi mawr du, a dwy neu dair gwaith y dydd bydd yn mynd â'r ci am dro – ddim i'r caeau ar gyrion y dre, ond trwy'r strydoedd a heibio'r tai a wnaeth o adeiladu yn ystod yr hanner can mlynedd diwethaf. Mae o wedi bod yn gyfrifol am adeiladu tua dau gant o dai yn ei oes ac mae o'n falch o fedru dweud wrtho chi,"Welwch chi'r tŷ 'na ar y gornel, - fi wnaeth adeiladu hwnna."

Fe ddylen ninnau hefyd edrych ar ôl ein cartrefi, paentio ein tai pan fydd angen a'u cadw yn lân ac yn daclus.

Gweddi:
Diolch am bawb a fu'n gyfrifol am adeiladu ein tai. Diolch i Ti am roi sgiliau gwahanol i bob un ohonom. Dysg ni i wrando ym mhob gwers ar sut y gallwn feithrin a datblygu sgiliau arbennig fel bod ein gwaith ninnau yn dda.

Amen

Tŷ Iesu

(Angen llun tŷ neu fodel o dŷ yn Nasareth)

Pan oedd Iesu Grist yn hogyn bach roedd o'n byw mewn pentref o'r enw Nasareth. Roedd y tai yn y pentref i gyd yn edrych fel hyn.

(dangos llun neu fodel syml)

Byddai'r teulu i gyd yn byw mewn un ystafell yn y tŷ. Gyda'r nos byddai anifeiliaid a oedd yn perthyn i'r teulu, yn cysgu yn y tŷ hefyd. Felly roedd tu fewn i'r tŷ ar ddau lefel,- un llawr ar gyfer yr anifeiliaid a llawr ychydig bach yn uwch ar gyfer y teulu.

Roedd waliau'r tŷ wedi cael eu gwneud allan o friciau mwd ac roedd un mynediad isel i fynd i mewn - y drws hwnnw fel arfer wedi ei wneud allan o bren. Ychydig iawn o ddodrefn a oedd yn y tŷ. Byddai'r bachgen Iesu yn cysgu ar ryw fath o fat ac yn y bore, nid tacluso ei wely a wnâi ond ei rolio i fyny a'i roi yng nghornel yr ystafell yn barod am y noson ddilynol. Yn y rhan o'r ystafell lle roedd pawb yn bwyta, roedd na gwpwrdd bach lle roedd y bwyd yn cael ei gadw. Roedd gan y teulu hefyd ychydig o lestri pridd, a phopty i goginio a chrasu bara.

To fflat oedd ar y tŷ, wedi ei wneud o wiail a'r rheini wedi eu plethu a'u gorchuddio efo mwd. Ambell dro, os oedd hi'n dywydd braf a'r tymheredd yn boeth, byddai'r Iesu yn cysgu ar ben y to. Yn ystod y dydd byddai'r merched yn mynd â ffrwythau i ben y to ac yn gadael iddyn nhw sychu yn yr haul. Fel arfer roedd na risiau ar ochr y tŷ yn arwain at y to.

Doedd na ddim dŵr yn y tŷ. Roedd yn rhaid i'r merched ei nôl o ffynnon y pentref a'i gario adref mewn pot mawr. Felly roedd yn rhaid cario cryn dipyn o ddŵr bob diwrnod er mwyn cael digon ar gyfer ymolchi, coginio a golchi dillad. Doedd na ddim ystafell ymolchi chwaith. Felly byddai pawb yn ymolchi allan yn yr awyr agored.

Doedd na ddim trydan i'w gael yr adeg honno. Felly dim teledu, dim Game Boy, dim peiriannau golchi, dim golau trydan. Pan oedd hi'n dywyll roedd gan Iesu Grist lamp olew fechan i oleuo'r ystafell.

Gweddi:
Diolch i Ti ein Tad am ein cartrefi a'n teuluoedd. Diolch i Ti am y cyfle i ddysgu am Iesu Grist a'i gartref yn Nasareth. Gwna i ni fod yn ufudd i'n rhieni ac yn garedig wrth ein brodyr a'n chwiorydd.

Amen

Dr. Barnardo

Tua chant a hanner o flynyddoedd yn ôl, ganwyd dyn o'r enw Thomas Barnardo yn Nulyn, yn Iwerddon. Roedd o am fod yn feddyg. Felly aeth i goleg yn Llundain. Tra oedd o yn Llundain, sylwodd fod 'na lawer o blant bach tlawd o gwmpas ac agorodd ysgol iddyn nhw yn Stepney.

Daeth i nabod bachgen o'r enw Jim Jarvis. Roedd Jim yn dlawd hefyd ac fe ddangosodd o i Barnardo lle roedd 'na tua 60 o blant amddifad yn cysgu allan trwy'r nos. Teimlodd Barnardo yn flin iawn o weld y plant fel hyn a phrynodd ddau fwthyn er mwyn iddyn nhw gael to uwch eu pennau. Cyn bo hir roedd yn rhaid iddo gael adeilad mwy.

Un noson roedd y tŷ yn llawn a bu raid iddyn nhw wrthod derbyn mwy o blant. Y bore wedyn fe welodd Barnardo fod un bachgen bach a wrthodwyd wedi marw oherwydd oerni a newyn. O'r diwrnod hwnnw ymlaen rhoddwyd arwydd tu allan i'r tŷ:

"Ni wrthodir yma unrhyw blentyn amddifad."

Bu Barnardo yn brysur wedyn yn casglu arian i adeiladu mwy o dai ac erbyn heddiw mae na Ysgol, Ysbyty a Choleg ar gyfer plant anghenus.

Gweddi:
Cofiwn heddiw Arglwydd Iesu am yr holl bobl yn y byd sydd heb gartref, - teuluoedd yn Affrica ac India sydd yn rhy dlawd i gael to uwch eu pennau, pobl o bob oed sydd yn crwydro strydoedd mewn dinasoedd mawr fel Llundain ac yn cysgu'r nos mewn hen focsus budr. Gwna i ni sylweddoli fod cartref pob un ohonom yn lle arbennig iawn.

Amen

Tai mewn gwledydd eraill

Tua chwarter miliwn o flynyddoedd yn ôl, roedd yn rhaid i'r dyn cyntaf feddwl am le diogel i fyw rhag y bwystfilod a oedd o gwmpas, a'r ateb i hynny oedd byw mewn ogofâu. Dyna pam heddiw, bod modd gweld rhai ogofâu dros y byd i gyd efo lluniau ar y waliau – lluniau a gafodd eu gwneud gan y dynion cyntaf a oedd yn byw ar y ddaear. Ymhen amser fe wnaeth y bobol hyn ddysgu sut i wneud celfi ac offer allan o bren a cherrig. Roedden nhw'n gwneud arfau i ladd anifeiliaid er mwyn iddyn nhw gael bwyd. Roedd croen yr anifeiliaid yn cael ei gadw a'i sychu ac yn cael ei ddefnyddio wedyn i wneud dillad. Dysgodd y bobol hyn wedyn sut i ddefnyddio canghennau coed a lledr i wneud cartref tebyg i wigwam. Roedd hwn yn gartref cynhesach nag ogof. Roedd ganddyn nhw dân yn y babell yn y gaeaf er mwyn iddyn nhw gadw'n gynnes ac er mwyn coginio bwyd – cig fel arfer. Dyna oedd y cartrefi cyntaf.

Mae'r math o dai y mae pobol yn byw ynddyn nhw heddiw yn dibynnu ar y math o dywydd a geir yn y gwahanol wledydd, ac ymhle mae'r gwledydd wedi eu lleoli. Mae na rai gwledydd sydd ar y cyhydedd sy'n cael llawer mwy o haul a thywydd poeth na gwledydd eraill. Yn ein gwlad ni, dim ond yn yr haf y cawn ni dywydd poeth. Fe gawn ddigon o law ac efallai ychydig bach o eira yn y gaeaf.

1. Ym Mhegwn y Gogledd, sydd yn ddifrifol o oer, mae rhai pobol yn dal i fyw mewn iglw. Briciau o eira sy'n cael eu defnyddio i wneud iglw ac mae'r adeilad ar siâp cromen. Mae'r mwyafrif o bobol erbyn hyn yn byw mewn tai parod, sef tai modern sydd wedi eu gwneud allan o bren.

2. Yn y Swistir, mae llawer o'r tai, yn enwedig y rhai sy'n uchel ar y mynyddoedd wedi cael eu gwneud allan o bren. Mae to pob tŷ yn is ac yn lletach na'n tai ni. Felly os oes na lawer o eira, mae'n llai peryglus felly.

3. Mewn gwledydd sydd yn boeth, er enghraifft rhannau o Affrica, mae pentrefwyr yn byw mewn tai syml iawn sydd wedi eu gwneud allan o fwd a gwellt. Yn y dinasoedd mawr yn Ne Affrica, fe geir adeiladau uchel modern, tebyg i rai a geir yn Llundain a dinasoedd mawr America.

4. Mewn amryw o wledydd fel Japan, fe geir daeargrynfeydd yn aml, felly mae'r tai wedi eu hadeiladu efo defnyddiau ysgafn yn hytrach nag efo briciau trwm.

Gweddi:
Diolch am fy nghartref,
Diolch am fy ardal,
Diolch am fy ngwlad,
Diolch am ein byd.

Amen

Samariad Trugarog

Un tro roedd na ferch o'r enw Eleri yn chwarae ar y buarth yn yr ysgol. Roedd hi a'i ffrindiau wedi bod yn rhedeg ar ôl ei gilydd. Fe faglodd Eleri ar draws troed rhywun arall a syrthiodd yn drwm ar y concrit. Gwyddai ei bod wedi brifo ei braich yn ddrwg. Gwyddai hefyd fod ei hwyneb yn gwaedu. Fe wnaeth hyn ei dychryn a dechreuodd grio. Erbyn hyn roedd ei ffrindiau wedi rhedeg i ffwrdd oddi wrthi ac roedd y pedair yn dal i redeg ar ôl ei gilydd. Pwy ddaeth heibio ond Mari. Roedd Mari yn meddwl ei hun braidd am mai hi oedd y disgybl gorau yn yr ysgol. Doedd Mari erioed wedi hoffi Eleri ac felly dyma hi'n troi ei chefn arni ac yn cerdded i ffwrdd.

Roedd na eneth newydd wedi cychwyn yn yr ysgol ers tua wythnos. Shalini oedd ei henw. Doedd ganddi hi ddim gwisg ysgol eto am nad oedd ei mam yn gallu fforddio prynu un. Roedd Shalini yn unig iawn bob amser chwarae am nad oedd eto wedi cael ffrind, ond roedd hi wedi gweld Eleri yn syrthio. Rhedodd ati hi a phan welodd hi fod gwaed ar ei hwyneb rhoddodd hances bapur ar y gwaed a rhedodd i ddweud wrth ei hathrawes. Ar ôl i wyneb Eleri gael ei olchi aeth yr athrawes â hi i'r ysbyty. Dywedodd y meddyg ei bod wedi torri ei braich. Pan ddaeth Eleri yn ôl i'r ysgol y diwrnod wedyn, Shalini oedd y gyntaf i gael sgwennu ei henw ar y plaster.

Mae 'na lawer o storïau da yn y Beibl, tebyg i'r stori dw i am ddweud wrtho chi heddiw. Stori ydi hon a ddywedodd Iesu Grist wrth ei ffrindiau a'i ddilynwyr. Roedd o'n hoffi dweud stori a oedd efo neges fach neu wers iddi hi. Gelwir y math yma o stori yn ddameg. Dyma un o'r damhegion.

(Gellir cael rhai o'r plant i helpu trwy feimio)

Un tro roedd 'na ddyn yn teithio ar ei ben ei hun o Jerwsalem i Jericho. Roedd hi'n daith beryglus ac ar y daith, fe wnaeth lladron ymosod arno, ei anafu a dwyn ei ddillad a'i eiddo i gyd. Cyn bo hir, daeth offeiriad heibio, dyn a oedd i fod i helpu eraill oedd o ond pan welodd o ddyn dieithr yn gorwedd ar y llawr, aeth heibio a'i osgoi.

Ymhen ychydig o amser wedyn, daeth swyddog y Deml heibio ac fe wnaeth o hefyd anwybyddu'r dyn a oedd wedi brifo. Cyn bo hir daeth Samariad ar hyd yr un ffordd. Pan welodd o'r dyn a oedd wedi ei frifo, golchodd ei glwyfau efo olew a chododd ef yn ofalus ar gefn ei ful. Aeth â fo i lety. Talodd am ystafell a gofynnodd i ŵr y gwesty ofalu amdano nes y byddai'n well.

Dyn a oedd wedi ei eni mewn gwlad arall oedd y Samariad, dyn o Samaria ac nid o wlad Palesteina. Ond **fo** a wnaeth helpu'r dyn claf ac nid y dynion eraill a oedd i fod yn ddynion da. Pwy oedd y Samariad trugarog ar y buarth yn yr ysgol, - ffrindiau Eleri, Mari ynteu Shalini?

Gweddi:

Diolch i Ti O Dduw am y storïau sydd yn y Beibl. Diolch am y damhegion a ddywedodd Iesu Grist wrth iddo deithio o gwmpas yn dysgu pobl. Mae na wers i ni ymhob dameg. Ar ôl i ni wrando ar ddameg y Samariad Trugarog, dysg ni i helpu eraill, a pheidio byth â throi ein cefnau ar rywun sydd mewn trafferth neu wedi brifo.

Amen

Colli Dafad

Roeddwn i'n drist iawn wythnos dwytha'. Roeddwn i wedi colli fy mhwrs. Doedd na ddim gormodedd o bres ynddo fo – dim ond digon i brynu ychydig o fwyd at swper. Pwrs glas oedd o – efo poced yn ei ochr i gadw pres papur. Roedd na ddeg punt yn y boced. Wrth lwc doedd gen i ddim cardiau banc yn fy mhwrs. Dw i byth yn cario fy nghardiau banc yn yr un lle ag arian, ond roedd fy nghyfeiriad i ynddo fo, a rhif ffôn. Pan es i adref dyma ddweud wrth y gweddill o'r teulu beth oedd wedi digwydd. "Mae'n rhaid fod rhywun wedi ei ddwyn," meddwn. Cyn bo hir fe ganodd y ffôn. Yr heddlu oedd na. Roedd rhywun wedi gweld fy mhwrs ar y palmant ac wedi mynd â fo i Swyddfa'r Heddlu. Dyna falch oeddwn i, nid yn unig am wybod fod fy mhwrs yn ddiogel ond am fod rhywun wedi bod yn ddigon gonest i fynd â fo at yr heddlu yn hytrach na'i gadw ei hunan.

Dyma ddameg arall a ddywedodd Iesu Grist wrth iddo fo fynd o amgylch yn cyfarfod pobol ac yn pregethu. Stori ydi hi am fugail. Roedd gan y bugail gant o ddefaid. Yn oes yr Iesu, roedd gofalu am ddefaid yn gallu bod yn waith caled iawn. Byddai'r bugail yn gofalu amdanyn nhw trwy'r amser. Yn y dydd, roedd yn gofalu na fydden nhw'n crwydro. Yn y nos roedd yn cynnau tân er mwyn cadw'r bleiddiaid i ffwrdd rhag lladd y defaid.

Bob bore byddai'r bugail yn cyfri'r defaid. Un bore fe welodd fod un ddafad ar goll ac roedd yn drist iawn. Roedd y defaid eraill yn brysur yn pori – felly gadawodd y bugail y defaid eraill ac aeth i chwilio am y ddafad a oedd ar goll. Oes gan rywun ryw syniad beth oedd wedi digwydd iddi hi? Wel, wrth lwc, fe welodd y bugail fod y ddafad wedi syrthio i lwyn o ddrain. Tynnodd hi o'r llwyn a daeth â hi'n ôl at y defaid eraill. Roedd o mor hapus, gofynnodd i'w ffrindiau ddod i'w dŷ a chafodd pawb barti i ddathlu.

Chefais i ddim parti, ond ar ôl bod yn Swyddfa'r Heddlu yn nôl fy mhwrs, roedd gen i ddigon o bres wedyn i brynu swper a oedd yn fwy arbennig nag arfer.

Gweddi:
Dysg ni O Dduw i fod yn hapus pan mae eraill yn hapus. Mae llawer o bethau da yn digwydd yn ein bywydau a dylem ddweud 'Diolch' a bod yn llawen.

Amen

Yr Heuwr

Roedd Iesu Grist yn teithio cryn dipyn trwy Galilea lle roedd o'n byw. Lle bynnag yr âi, yr oedd torf o bobol yn casglu ac roedd o'n eu dysgu.

Dyma un stori a ddywedodd o am ffarmwr. Yn oes yr Iesu, nid oedd gan y ffarmwr dractor fel sydd gan ein ffermwyr ni heddiw. Roedd yn rhaid iddo gerdded o amgylch y cae i hau hadau. Cadwai'r hadau mewn bag o'i flaen, bag a oedd yn hongian am ei wddw. Felly, roedd yn gallu defnyddio ei ddwy law i hau, un llaw yn hau bob yn ail â'r llall.

Un diwrnod pan oedd yn hau, syrthiodd ychydig o'r hadau ar y llwybr wrth ymyl ac ymhen chwinc roedd yr adar wedi eu bwyta. Syrthiodd hadau eraill ar dir caregog ac oherwydd nad oedd 'na ddigon o bridd iddyn nhw wreiddio, sychodd yr haul nhw a bu'r hadau farw. Syrthiodd rhai o'r hadau i ganol drain, a phan wnaethon nhw ddechrau tyfu, fe dagodd y drain y planhigion newydd. Ond fe syrthiodd rhai hadau ar bridd da a ffrwythlon a chyn bo hir fe dyfodd yr hadau yn blanhigion cryf.

Dyma i chi stori arall. Mae'n debyg iawn i'r stori a ddywedodd Iesu Grist am yr heuwr. Stori ydi hon am athro a'i ddosbarth. Yn y dosbarth mae na gymysgedd o blant, rhai drwg, rhai da, rhai gweithgar, rhai diog, rhai distaw, rhai swnllyd. Mae na rai plant yn chwarae'n wirion yn lle ymddwyn yn iawn. Mae na rai yn ddiog ac un neu ddau yn gwrando dim ar yr athro. Ond yn eu mysg mae na griw o blant sy'n awyddus i wneud eu gorau. Mae nhw'n dod i'r ysgol yn brydlon, yn gwneud gwaith taclus, yn gwneud eu gwaith cartref bob nos ac yn rhoi eu gorau i bob dim.

Dyna griw da o blant, - criw y mae'r athro'n cael pleser o'u dysgu. Felly hefyd yr oedd yr heuwr, yn falch fod rhai o'r hadau wedi tyfu'n blanhigion da.

Gweddi:
Diolchwn O Dduw am ein hysgolion ac am y cyfle rydym yn ei gael i ddysgu cymaint o bethau diddorol. Dysg ni i werthfawrogi'r gwersi y mae'r athrawon yn eu paratoi i ni a gwna i ni sylweddoli mor bwysig ydi gwrando yn y dosbarth.

Amen

Y Mab Afradlon

Storïwr:	Un tro roedd na ddyn efo dau fab. Trigai'r teulu ar fferm fawr. Roedd na lawer o anifeiliaid ar y fferm ac roedd y perchennog yn ddyn ariannog iawn. Un diwrnod aeth y mab ieuanga' at ei dad:
Mab 1:	"Ga i ran o'r fferm a'r arian sy'n eiddo i mi?"
Tad:	"Mi ranna i'r anifeiliaid a'r arian efo chi'ch dau. Cymerwch beth sydd eiddo i chi."
Storïwr:	Gwerthodd y mab ieuanga ei anifeiliaid er mwyn cael mwy o arian ac yna aeth i ffwrdd i wlad bell. Ymhen dim o amser roedd o wedi gwario ei arian i gyd. Oherwydd ei fod eisiau bwyd, cafodd ei gyflogi'n was ffarm a'i waith oedd gofalu am y moch. Roedd yn drist iawn.
Mab 1:	"Mae gan fy nhad lawer o weision, ac mae nhw'n cael mwy o fwyd nag ydw i. Dw i'n meddwl yr â'i adref a gofyn i nhad a ga i fod yn un o'i weision."
Storïwr:	Aeth y mab adref. Gwelodd ei dad o yn dod o bell a rhedodd ato i'w groesawu.
Mab 1:	"Mae'n ddrwg gen i. Dw i wedi bod yn wirion iawn. Mae f'arian i gyd wedi cael ei wario'n ffôl".
Tad:	"Brysiwch yma bawb. Gwisgwch fy mab yn y wisg orau, rhowch fodrwy ar ei fys a sgidiau am ei draed. Rydan ni am wledda a bod yn hapus oherwydd mae o wedi dod adref."
Storïwr:	Roedd y mab hynaf yn y caeau. Pan glywodd sŵn y miwsig a'r dawnsio, gofynnodd i un o'r gweision,"Beth ydi'r sŵn 'na?"
Gwas:	"Mae dy frawd wedi dod adref a dyma sut mae dy dad yn ei groesawu'n ôl – efo parti."
Storïwr:	Digiodd y mab hynaf a gwrthododd fynd i ddathlu efo pawb arall. Daeth ei dad allan ato.
Tad:	"Fy mab, rwyt ti yma efo fi bob amser. Mi gei di bob dim

sy'n perthyn i mi yn ogystal â dy siâr. Dw i wedi cynnal y parti 'ma achos fod dy frawd wedi dod adref. Mae o'n gwybod ei hun rŵan mor ffôl y buodd o. Mae wedi gweld ei gamgymeriad ac felly mae'n rhaid i ni ei groesawu."

Gweddi:

Ambell dro rydw i'n teimlo'n eiddigeddus os gwela i rywun arall yn cael mwy na fi. Dysg ni O Dduw mai nid derbyn sydd yn bwysig, ond rhoi, mai rhannu y dylem ac nid bod yn awchus. Os gwelwn ni rywun yn cael rhywbeth arbennig yr hoffem ni ei gael, dysg i ni fod yn hapus efo nhw a pheidio â dangos drwg deimlad.

Amen

Y Tŷ ar y graig

(Hambwrdd efo ychydig o dywod ynddo a briciau Lego)

Stori arall a ddywedodd yr Iesu oedd stori am ddau ddyn yn adeiladu tŷ. Ydach chi'n cofio'r gwasanaeth a gawsom am dai, a pha mor bwysig ydi cael sylfaen dda wrth adeiladu? I gael sylfaen dda mae'n rhaid tyllu ffos ddofn a'i llenwi efo cerrig mân a choncrit. Bydd y briciau wedyn yn cael eu gosod ar ben y concrit ac wedyn bydd y ffos yn cael ei llenwi efo pridd a mwy o gerrig. Dyna beth yw sylfaen gref.

Un tro roedd dau ddyn yn adeiladu tŷ. Roedd Ioan yn ddyn call. Penderfynodd o adeiladu ei dŷ ar dir caregog. Gwnaeth ffos a'i llenwi efo cerrig mawr a mwd. Wedyn adeiladodd y waliau ar ben y sylfaen. Roedd ganddo sylfaen dda i'r tŷ.

(Gellir gwneud ffos yn y tywod a gosod wal Lego yn y ffos)

Ond dyn ffôl oedd Andreas. Wnaeth o ddim tyllu ffos. Fe adeiladodd o'r tŷ yn syth ar y tywod.
(Rhoi wal o friciau Lego ar ben y tywod)

Rhyw noson, pan oedd storm ddifrifol, fe chwythodd y gwynt a disgynnodd glaw trwm ac ymhen ychydig o amser roedd na lifogydd.. Yn y bore, pan oedd y storm wedi tawelu, roedd Ioan yn falch o weld fod y tŷ a adeiladodd yn dal yn gadarn ar y tir caregog ac wedi gwrthsefyll y storm. Ond roedd Andreas, y dyn ffôl, yn drist iawn pan welodd o fod y tŷ a adeiladodd o ar y tywod wedi cael ei ddymchwel gan y gwynt ac wedi cael ei chwalu ymhellach gan y llifogydd.

Gweddi:
Ein Tad, diolch am y cyfle i gael addysg. Gwna i ni sylweddoli fod addysg dda yn sylfaen dda i ni at y dyfodol. Dysg ni i wrando felly ar bob dim sy'n cael ei ddysgu i ni ac i beidio â gwastraffu amser yn y dosbarth.

Amen

Fy Ardal

Pwy sy'n hoffi mynd i ffwrdd am wyliau? Bob tro dw i'n mynd i ffwrdd mae na rywbeth yn siŵr o wneud i mi deimlo fy mod eisiau aros yno am byth a pheidio dod adre – rhywbeth fel tywydd poeth, glan y môr, tripiau o gwmpas y wlad, tripiau mewn cwch neu long, gwesty da, hwyl a sbri a llawer o bethau eraill. Mae na ddywediad yn Saesneg "All good things come to an end", a dyna sut dw i'n teimlo ar ddiwedd gwyliau.

Ac wedyn mae diflastod wrth eistedd mewn sedd gul ar yr awyren, neu bod mewn car poeth a'r car yn symud dim oherwydd tagfeydd. Ond unwaith dw i'n cyrraedd o fewn ychydig filltiroedd i'r lle rydw i'n byw ynddo, dw i'n dechrau teimlo'n wahanol ac mae'n braf bod adref ar ddiwedd y daith. Y rheswm am hynny ydi hyn – mae pob dim a welais ar fy ngwyliau i'w gweld yng Nghymru.

Mae na fynyddoedd a bryniau. Mae na draethau efo tywod melyn a môr glas. Mae na gaeau gwyrdd a choedwigoedd. Mae na lynnoedd ac afonydd a phob math o atyniadau i ddenu ymwelwyr ac i'n denu ninnau hefyd. Efallai nad ydan ni'n cael haul a haf mor boeth â gwledydd eraill ond mae'n gwlad ni cystal os nad gwell na phob gwlad arall ac fe ddylen ni fod yn ddiolchgar am hynny.

Gweddi:
Mae Cymru yn wlad arbennig iawn. Diolch i Ti O Dduw am greu ei harddwch – y mynyddoedd a'r moroedd, yr afonydd a'r llynnoedd, y dyffrynnoedd a'r bryniau, y trefi a'r pentrefi. Gwna i ni sylweddoli ein bod yn ffodus i gael gwlad fel hon.

Amen

Pysgotwyr

Dyma i chi lun syml o bysgodyn.

Ers talwm roedd pobol yn gwneud llun pysgodyn fel hyn yn y tywod i ddangos eu bod yn credu yn Iesu Grist. Hyd yn oed heddiw mae llawer o bobol yn defnyddio arwydd pysgodyn i ddangos eu bod yn Gristnogion. Mae rhai yn gwisgo'r arwydd ar eu dillad ac mae eraill yn rhoi'r arwydd ar ffenestr gefn y car.

Pan oedd Iesu Grist wedi tyfu'n ddyn fe ddewisodd o ddeuddeg o ddynion da i fod yn ddisgyblion. Roedd y disgyblion hyn yn ffrindiau iddo hefyd ac roedden nhw'n mwynhau ei helpu efo'i waith. Roedd 4 ohonyn nhw – Iago, Ioan, Andreas a Simon - yn bysgotwyr.

Un diwrnod wrth fynd am dro ar hyd glan môr Galilea, gwelodd Iesu fod Simon ac Andreas wedi bod allan yn y cwch yn pysgota. Dywedodd Iesu wrthyn nhw am wthio'r cwch allan i'r dyfnder a gollwng y rhwydi er mwyn dal pysgod. Dywedodd Simon wrtho, "Buom wrthi trwy'r nos yn pysgota ond wnaethon ni ddal dim, ond rydan ni'n fodlon mynd allan at y dyfroedd dwfn un waith eto". Ar ôl iddyn nhw ollwng y rhwydi eto, fe wnaethon nhw ddal cymaint o bysgod, fe dorrodd y rhwydi. Roedd y pysgotwyr wedi eu syfrdanu oherwydd eu bod wedi gweld un o'r gwyrthiau cyntaf a wnaeth Iesu Grist.

Rydan ni i gyd yn prynu a bwyta pob math o fwydydd yn y siopau heb sylweddoli fod dynion fel pysgotwyr yn peryglu eu bywydau er ein mwyn ni. Mae nhw'n mynd allan yn eu cychod pysgota, ymhell o'r tir ac mewn tywydd stormus i ddal pysgod o bob math. Mae'n fywyd caled ac mae'n waith peryglus iawn.

Gweddi:
Diolch am bawb sydd yn peryglu eu bywydau er mwyn i ni gael bwyd, pobol fel pysgotwyr sydd yn pysgota ym mhob math o dywydd, a morwyr sydd yn teithio trwy bob math o foroedd er mwyn cludo bwydydd i ni o wledydd eraill. Dysg ni i fod yn ddiolchgar am eu gwaith.

Amen

Bad Achub

Pwy fedr ddweud beth sy'n cysylltu'r rhain – pysgotwr, llongwr, nofiwr, cychwr, rhai sy'n sgïo tu ôl i gwch? (*neu gellir dangos lluniau*)

Mae nhw i gyd i'w gweld ar y môr. Ond hefyd mae na lawer o ddamweiniau yn gallu digwydd ar y môr, yn aml oherwydd tywydd stormus, neu oherwydd nad yw rhai pobol yn ddigon gofalus. Os ydi pobol yn mynd i drafferthion ar y môr, fel arfer mae'r bad achub yn cael ei alw allan ar frys er mwyn eu helpu.

Cafodd Sefydliad Cenedlaethol Brenhinol y Badau Achub ei gychwyn yn 1824 ac ers hynny mae nhw wedi achub dros 140,000 o fywydau – tua chyfartaledd o 2 berson bob diwrnod. Mae na 311 o gychod achub o gwmpas yr arfordir a thua 4,500 o wirfoddolwyr yn peryglu eu bywydau eu hunain i fynd allan yn y cychod. Mae'r bad achub yn gallu mynd dros donnau anferth oherwydd fod tanciau arbennig ynddo sy'n llawn aer. Rhain sy'n gwneud i'r bad aros ar i fyny os ydi'r môr yn stormus.

Bob tro y bydd un bad achub yn cael ei alw allan i achub rhywun, bydd y cyfan yn costio tua £5,000. Bydd pawb sy'n mynd allan yn y cwch yn derbyn ychydig o arian am fynd allan ar y môr er mai gwneud y gwaith yn wirfoddol y mae nhw.

Mae'n rhaid i bob un ohonom sy'n hwylio, canŵio, neu ryw weithgaredd arall gofio gwisgo siaced achub bob tro. Mae'n bwysig felly ein bod yn cofio dweud "Diolch" am y dynion a'r merched sy'n mynd allan i achub bywydau pobol eraill ar y môr, dim ots pa mor arw ydi'r tywydd.

Gweddi:
Diolchwn i Ti O Dduw am y bobl sydd yn peryglu eu bywydau er mwyn achub pobl eraill. Cofiwn fod dynion y badau achub yn gwneud y gwaith yn wirfoddol. Cofiwn fod gan amryw ohonynt deuluoedd. Diolchwn i Ti am eu dewrder a gwna i ni sylweddoli fod y môr yn beryglus ymhob math o dywydd.

Amen

Dynion Tân

Ar ddydd Mawrth Medi 11, 2001 fe ddigwyddodd trychineb ddifrifol yn Unol Daleithiau America. Lladdwyd 3,000 o bobol pan aeth dwy awyren tuag at ddau dŵr o swyddfeydd uchel a ffrwydro gan ddymchwel y tyrau. Ymysg y rhai gafodd eu lladd roedd 348 o ddynion diffodd tân.

Roedd y diwrnod trychinebus hwnnw yn dangos i ni sut mae dynion tân yn peryglu eu bywydau eu hunain er mwyn achub pobol eraill.

Mae dynion tân yn gwneud pob math o achub yn eu gwaith – mae nhw'n diffodd tanau mewn tai, diffodd tân os bydd damwain car wedi bod ac yn aml yn achub rhywun sydd yn methu dod allan o'r car. Mae nhw hefyd ambell dro yn defnyddio ysgol hir er mwyn achub cath sy'n methu dod i lawr o ben coeden! Mi fedrwn ni helpu'r dynion tân trwy ddilyn rheolau syml, ac felly osgoi tanau.

1. Peidio â chwarae efo matsis na'u gollwng ar lawr os ydyn nhw heb eu diffodd.

2. Gofalu am fwyd sy'n cael ei goginio yn y gegin yn enwedig sglodion.

3. Cofio ar ddiwrnod poeth y gall y gwair a'r coed gynnau yn gynt ac y gall tân yn y wlad ymledu yn gyflym iawn.

Gweddi:
Arglwydd Iesu dysg bawb i fod yn ddewr. Yn aml iawn rydym yn teimlo'n ofnus neu'n nerfus cyn gwneud rhywbeth. Helpa ni i fod yn gryf ac yn hyderus yn enwedig os ydym yn helpu eraill sydd mewn trafferth.

Amen

Achubiaeth ar fynydd

Mae na reolau i'w cadw os ydych chi'n mynd ar y ffordd fawr.
Mae na reolau i'w cadw os ydych chi'n mynychu ysgol.
Mae na reolau i'w cadw os ydych chi'n mynd allan ar y môr.
Mae na reolau i'w cadw os ydych chi'n chwarae mewn tîm.
Mae na reolau i'w cadw hefyd os ydych chi'n mynd i gerdded ar y mynyddoedd neu eu dringo:

1. Cofiwch ddweud wrth eich teulu neu ffrindiau os ydych chi'n mynd i gerdded ar y mynyddoedd.
2. Peidiwch â mynd ar eich pen eich hun.
3. Gwisgwch sgidiau addas a dillad cynnes.
4. Cadwch efo'ch gilydd.
5. Ewch a ffôn symudol efo chi.
6. Peidiwch â mentro cerdded neu ddringo mewn lle peryglus.
7. Peidiwch â mynnu cyrraedd y brig os ydi'r tywydd yn newid.

Mae na lawer o ddamweiniau yn digwydd yn ardal y mynyddoedd bob adeg o'r flwyddyn. Yn Eryri mae na ddynion arbennig wedi cael eu hyfforddi i fynd ar y mynyddoedd i achub pobol sydd wedi syrthio neu wedi mynd i drafferthion. Fe geir hofrennydd yn y Fali sy'n gallu teithio'n sydyn i ardal y mynyddoedd. Mae'r dynion hyn hefyd wedi cael eu hyfforddi sut i achub bywydau – codi'r cleifion yn ofalus i'r hofrennydd a'u cludo i ysbyty gyfagos. Gwaith peryglus yw hwn ond wrth gofio hynny, fe ddylen ninnau gadw at y rheolau dringo fel nad ydym yn peryglu bywydau'r bobol eraill.

Gweddi:
O Dduw, dysg ni i fod yn ddoeth wrth wneud penderfyniad. Gwna i ni sylweddoli fod bywyd pawb yn werthfawr. Diolch am ddewrder y rhai sy'n achub pobol sydd mewn trafferth ar y mynyddoedd, un ai wedi mynd ar goll, neu wedi syrthio a brifo.

Amen

Dathlu'r Cynhaeaf

Mae llawer o bobol yn y byd yn bwyta gormod o fwyd ac mae llawer o bobol eraill ddim yn bwyta digon. Dyma sut mae Diolchgarwch yn cael ei ddathlu mewn gwahanol wledydd.

Yn Tsieina bydd pobol yn dringo i ben bryniau uchel er mwyn gweld Lleuad y Cynhaeaf a rhoi diolch am gynhaeaf y flwyddyn flaenorol. Iddyn nhw symbol o hapusrwydd yw 'cylch' a dyna pam mae nhw'n bwyta teisennau bach crwn wrth ddathlu'r Cynhaeaf.

Yng ngwlad Groeg byddant yn dathlu'r Cynhaeaf yn y Gwanwyn ac yn rhoi diolch am y cnwd o bysgod y byddan nhw wedi eu dal yn ystod y flwyddyn.

Yn India bydd rhai pobol Hindŵaidd yn bwydo anifeiliaid bach trwy roi bwyd wedi ei osod mewn patrymau syml tu allan i'w drysau. Dyma eu ffordd nhw o ddweud "Diolch".

Yn ein gwlad ni byddwn yn cynnal ein Diolchgarwch yn yr Hydref. Ers talwm roedd trigolion yr ardal i gyd yn helpu efo'r cynhaeaf ŷd ar y ffermydd. Ar ddiwedd y dydd byddai pawb eisiau bwyd ac yn dathlu trwy gael swper arbennig. Roedd yr eglwys yn cael ei haddurno gydag amrywiaeth o flodau, llysiau a ffrwythau ac ar ôl gwasanaeth y Diolchgarwch roedd y bwyd yn cael ei rannu a'i roi i'r cleifion yn yr ardal. Bydd hyn yn parhau i gael ei wneud mewn llawer o ardaloedd heddiw, a bydd amryw o ysgolion yn casglu arian neu'n casglu nwyddau a theganau i'w rhoi i rai o blant tlawd y byd.

Gweddi:
> "Diolch i Ti am y byd,
> Diolch am ein bwyd bob pryd,
> Diolch am yr haul a'r glaw,
> Diolch, Dduw, am bopeth ddaw."
> Amen

O ble daw'r bwyd?

Wrth gerdded o amgylch archfarchnad fel Tesco neu Kwiks neu Safeway, mae'n anodd dychmygu faint o bethau ar werth yno sydd wedi dod yn wreiddiol o ffermydd, o wledydd eraill, o ffatrioedd ac o Feithrinfeydd Gardd.

Gallwn wneud 4 rhestr ond dw i ddim yn meddwl y cawn ni ddigon o amser i restru pob dim heddiw!

Fferm	Gwlad arall	Ffatri	Gerddi
Cig oen	Ffrwythau	Tuniau bwyd	Blodau
Cig eidion	Ffa	Prydau parod	Hadau
Cig moch	Coffi	Jam	
Cyw iâr	Te		
Caws	Siwgr		
Llefrith	Reis		
Menyn			

Mae na dipyn o baratoi ar y bwydydd cyn i chi eu gweld yn y siop. Er enghraifft, bydd yr anifeiliaid yn cael eu bwydo ar y fferm cyn mynd i'r lladd-dy. Bydd y cigoedd wedyn yn cael eu pacio cyn cael eu cludo i'r archfarchnadoedd.

Yr un yw stori te neu reis sydd yn dod o wledydd tramor – bydd yn cael ei gasglu a'i gludo i ffatri lle mae'n cael ei roi mewn bocsys neu fagiau ac yna ei gludo i'r siopau er mwyn i ni gael ei brynu. Darllenwch beth sydd ar gefn bocs neu dun o fwyd ambell dro. Yn aml iawn gallwch weld o ba wlad y daw'r cynnyrch yn wreiddiol ac yna fe welwch gyfeiriad y ffatri lle y cafodd ei baratoi i chi. Mae'n bwysig felly ein bod yn ddiolchgar i bawb sy'n ei baratoi i ni.

Gweddi:
Yn ystod wythnos ein Diolchgarwch, diolchwn i Ti am bawb sydd yn paratoi ein bwyd, y ffarmwr sy'n ei dyfu, y morwyr sy'n ei fewn forio o wledydd tramor, y gweithwyr sy'n ei bacio mewn ffatrïoedd a'r siopwr sy'n ei werthu. Dysg ni i werthfawrogi fod swydd pawb yn un bwysig er mwyn pobol eraill.

Amen

Cyfoeth a Thlodi

Ydych chi wedi meddwl erioed mor lwcus ydach chi i gael dillad, tŷ cynnes i fyw ynddo a thri phryd o fwyd bob diwrnod? Meddyliwch sut deimlad fyddai bod heb dŷ a heb fwyd – heddiw a fory a'r diwrnod wedyn.

Pe bae pawb sy'n tyfu gwenith ac ŷd yn ei rannu'n deg efo pawb yn y byd, mi fuasai digon o fwyd i bawb, ond tydi pethau ddim mor syml â hynny oherwydd mae na gannoedd o bobol sy'n rhy farus – eisiau llwyth o arian, eisiau llwyth o geir crand, eisiau mwy na digon o fwyd a DDIM eisiau rhannu efo neb arall.

Dychmygwch eich bod chi mewn pentref yn Affrica neu India. Mae pawb yno'n dlawd iawn ac felly eisiau bwyd. Pa un o'r rhain fuasai'n fwyaf defnyddiol iddyn nhw?

Cwdyn o arian, paced o hadau neu lyfr.

Os ydyn nhw'n dewis yr arian mae'n rhaid iddyn nhw gael rhywbeth i'w brynu efo'r arian. Efallai fod 'na ddigon o arian i brynu cae er mwyn iddyn nhw gael tyfu llysiau a ffrwythau ond mae honno'n broses hir. Efallai mai ychydig o arian sydd yn y cwdyn – digon i brynu un dorth o fara, ond ar ôl bwyta'r bara, fydd 'na ddim mwy o fwyd ar ôl. Mae'n rhaid disgwyl i hadau dyfu a tydi llyfr o werth i neb os nad ydyn nhw'n gallu darllen.

Sut medrwn ni helpu?

Mi fedrwn ni roi arian i elusennau fel *Oxfam*, Cymorth Cristnogol a *World Aid*. Does dim angen rhoi swm mawr. Pe bae pawb yn rhoi ychydig o geiniogau, gall yr elusennau hyn ddefnyddio'r arian mewn modd doeth. Dyma i chi un enghraifft:

Yn Uganda, mae ychydig o'r arian yn cael ei ddefnyddio i ddysgu pobol dlawd sut i ddarllen. Mae rhan arall ohono yn cael ei ddefnyddio i brynu bwyd ond mae swm mawr o arian yn cael ei ddefnyddio i helpu'r ffarmwr i ofalu amdano ei hun a'i deulu yn y dyfodol. Ar ôl cael mymryn o dir, cyflenwad o ddŵr a phaced o hadau, gall y ffarmwr wedyn dyfu bwyd ei hun ac efallai ei werthu mewn siop *Traidcraft* yn ein gwlad ni. Bydd yr elw i gyd yn mynd yn ôl i'r pentref. Os ydi'r ffarmwr yn gallu darllen, gall o wedyn ddysgu sut i fod yn gyfrifol am ariannu ei dir, prynu mwy o hadau ac wedyn gwerthu'r cynnyrch.

Dyna felly sut mae arian, hadau a llyfr yn gallu helpu pobol dlawd ein byd. Dyma eiriau Iesu Grist pan oedd o'n siarad ryw ddiwrnod efo'i ffrindiau, " yn gymaint ag ichwi ei wneud i un o'r rhai lleiaf hyn, fy mrodyr, i mi y gwnaethoch."

Gweddi:
Cyn bo hir byddwn yn prynu cardiau ar gyfer y Nadolig. Gwna i ni sylweddoli O Dduw, os gwnawn ni brynu cardiau Oxfam neu elusen debyg, y bydd yr arian yn cael ei ddefnyddio i helpu eraill sydd yn byw mewn gwledydd tlawd.

Amen

Pris Banana

(Angen bwndel o 4 banana)

Ydych chi'n cofio ni'n sôn yn ddiweddar fod rhai bwydydd yn yr archfarchnad yn cael eu mewnforio o wledydd tramor?

Dyma fwndel o ffrwchnedd neu bananas. Mae nhw'n pwyso 1 Kilogram ac yn y bwndel yma mae na 4 banana fawr. Ambell dro mae'r bananas yn llai ac fe gewch chi tua 8 efallai mewn bwndel. Fe gostiodd y 4 banana yma £1.20 i mi – sef 30ceiniog yr un.

Pwy sy'n gwybod ym mha wlad mae bananas yn tyfu? Yn Jamaica mae pobol yn tyfu a gwerthu bananas er mwyn cael arian i fyw – yn union fel mae ffermwyr yn y wlad hon yn cael arian wrth ffermio defaid a gwartheg.

Ar ôl cael eu casglu bydd y bananas yn cael eu cludo mewn lorïau i'r porthladd. O'r porthladd bydd llong yn dod â hwy i'r wlad hon. Byddant wedyn yn cael eu cludo i warws ac wedyn cael eu dosbarthu a'u cludo i'r siopau a fydd yn eu gwerthu.

Bydd gyrwyr y lorïau, criw y llongau, pobol y warws a'r siopwyr sy'n gwerthu'r bananas i gyd yn cael cyfran o'r £1.20 a dalais i. Faint o bres ydych chi'n feddwl fydd y ffermwr yn Jamaica yn ei gael? 10 ceiniog yn unig, a chan y ffermwr mae'r gwaith anoddaf yn tyfu bananas i bobol fel chi a fi.

Gweddi:
Diolch i Ti O Dduw am yr holl ffrwythau sydd yn cael eu gwerthu yn ein siopau, - bananas, afalau, gellyg, eirin, orennau, eirin gwlanog, grawnwin, grawnffrwyth, mefus, mafon a llawer o rai eraill. Diolch am bawb sydd yn eu tyfu yn y wlad hon ac yn y gwledydd tramor. Dysg bawb i fod yn ddoeth wrth brynu a gwerthu fel bod pobl yn cael beth ddylen nhw ei gael am eu llafur

Amen

Ein Gwasanaeth Diolchgarwch

Gwasanaeth wedi ei lunio gan y plant, gan ganolbwyntio ar bob math o ddiolchgarwch,- diolch am deulu, ffrindiau, tywydd, ffrwythau, llysiau a.y.y.b. yn ogystal â dangos ymwybyddiaeth o ddiffyg rhannu yn y byd, a'r tlodi sydd i'w gael mewn rhai gwledydd.

(*Enghraifft o weddi y gall y plant eu hunain lunio gyda chymorth*)

Am dŷ a theulu,	*Diolchwn i Ti*
Am frodyr a chwiorydd	*Diolchwn i Ti*
Am fwyd a dillad	*Diolchwn i Ti.*
Am haul a glaw	*Diolchwn i Ti*
	a.y.y.b.
Cofiwn am bawb sydd yn dlawd,	*Clyw ein gweddi*
Cofiwn am bawb sydd heb gartref,	*Clyw ein gweddi*
Cofiwn am bawb sydd yn sâl	*Clyw ein gweddi.*
Cofiwn am wledydd lle mae rhyfel	*Clyw ein gweddi*
	a.y.y.b.

Yr Aer a'r Tywydd

Mae'r tywydd yn wahanol bob diwrnod o'r flwyddyn ac mae'r tymhorau yn wahanol hefyd. Yn y gaeaf rydan ni'n disgwyl cael tywydd oer ond ambell dro fe gawn ni ddyddiau heulog. Yn yr haf rydan ni'n disgwyl cael tywydd poeth ond ambell dro fe gawn ni gawodydd trymion, gwyntoedd oer a stormydd o fellt a tharanau.

(Awgrymiadau ar gyfer y babanod)

Mae'n heulog heddiw. Mae'r haul yn grwn ac yn boeth oherwydd mai pelen o dân ydi o. Ambell dro mae'r haul yn uchel yn yr awyr. Pan fydd yr haul yn boeth yn yr haf, dw i'n hoffi mynd i lan y môr i chwarae ar y tywod ac ymdrochi yn y môr.

Mae'n glawio heddiw. Pan fydd hi'n bwrw glaw byddaf yn hoffi sblasio yn y pyllau dŵr. Ni fydd Mam yn gadael i mi fynd allan i chwarae pan fydd hi'n bwrw glaw.

Mae'n wyntog heddiw. Gallaf weld y coed yn cael eu chwythu. Mae tonnau mawr ar y môr. Mae'r dillad yn cael eu chwythu ar y lein ddillad. Ambell dro os ydi'r gwynt yn gryf, mae'n gallu achosi difrod.

Mae'n oer heddiw. Pan godais i bore 'ma, mi welais fod pob man yn wyn oherwydd roedd wedi bwrw eira dros nos. Cefais hwyl yn gwneud dyn eira ac yn taflu peli eira, ond roedd yr eira yn oer, oer.

Gweddi:
Diolch am yr haul a'r tywydd cynnes,
Diolch am y glaw sy'n dyfrio'r blodau a'r llysiau,
Diolch am y gwynt sy'n sychu'r dillad gwlyb
Diolch am eira a rhew a'r hwyl a gawn wrth chwarae.

Amen

Aer

Mae aer o'n cwmpas trwy'r adeg, er nad ydan ni yn ei weld. Yn yr aer mae na nifer o nwyon fel ocsigen a charbon deuocsid. Pe tae na ddim ocsigen, fydden ni ddim yn gallu byw.

Bob tro yr ydan ni'n anadlu rydan ni'n cymryd aer i mewn trwy ein ffroenau neu ein ceg ac mae'r ocsigen sydd yn yr aer hwnnw wedyn yn mynd i'r ysgyfaint. Wrth anadlu allan eto bydd yr ocsigen wedi newid a bydd carbon deuocsid yn dod allan o'r ysgyfaint. Mae'n rhaid i ni anadlu er mwyn cael byw, a hyd yn oed pan ydan ni'n cysgu, rydan ni'n anadlu heb sylweddoli hynny.

Mae'n bwysig felly bod yr aer o'n cwmpas yn lân neu fe fydd yn niweidio ein cyrff. Peidiwch byth ag ysmygu oherwydd mwg gwenwynllyd y byddwch yn ei anadlu ac nid ocsigen. Peidiwch chwaith â mynd yn rhy agos at bobol sydd **yn** ysmygu neu fe fyddwch chi'n anadlu eu mwg nhw.

Duw a greodd y byd a phob dim sydd ynddo, yr haul, y lleuad a'r sêr, dydd, nos a'r aer o'n cwmpas, y mynyddoedd, y moroedd, y dirwedd a'r coedwigoedd, anifeiliaid, adar, pysgod, a Duw a'n creodd **ni**.

Os bydda i wedi creu neu wneud rhywbeth arbennig fel paentio llun da, neu lunio cerflun allan o glai, byddaf yn flin os bydd rhywun yn ei faeddu neu ei falu. Felly y bydd Duw yn teimlo hefyd wrth weld ei fyd a'r bywyd sydd ynddo yn cael ei ddifetha. Mae'n bwysig felly ein bod yn edrych ar ôl yr aer trwy helpu i'w gadw'n lân ar gyfer ni'n hunain a phawb arall.

Gweddi:
Diolch i Ti O Dduw am greu ein byd sydd yn fyd mor rhyfeddol. Mae angen i bawb ddeall mai rhodd yw'r prydferthwch o'n cwmpas ac mai ein cyfrifoldeb ni yw gofalu amdano.

Amen

Aer a Byd Natur

Mae na anifeiliaid sydd fel ni angen anadlu er mwyn cadw'n fyw. Mae ganddyn nhw drwyn ac ysgyfaint fel ni er bod siâp eu trwynau'n wahanol. Mae rhai ohonyn nhw'n anadlu'n wahanol i ni hefyd,

Gall rhai anifeiliaid fel pysgod fyw mewn dŵr am amser hir ond pe bae ni yn deifio ac yn aros o dan y dŵr yn hir, byddai'n rhaid i ni gael tanc ocsigen ar ein cefnau.

Mae na anifeiliaid eraill fel llyffantod sydd yn gallu byw mewn dŵr neu allan o ddŵr. Ond mae nhw i gyd angen cael ocsigen o'r aer.

Mae coed, blodau a llwyni yn wahanol i ni. Mae nhw hefyd yn dibynnu ar yr aer i gael byw ond defnyddio'r carbon deuocsid a wnân nhw a'i newid o'n ocsigen.

A beth am adar? Ydyn, mae nhw'n anadlu hefyd. Mae pob dim sydd yn fyw wedi cael ei greu i anadlu.

Dyma ddwy dasg fach i chi i'w gwneud rywbryd yn ystod y dydd heddiw. Yn gyntaf, ymchwilio pam mae dringwyr y mynyddoedd uchaf yn y byd angen defnyddio tanc ocsigen. Ac yn ail, chwilio pam nad ydi o'n beth doeth gadael planhigyn mewn ystafell wely yn ystod y nos?

Gweddi:
Diolch O Dduw am bopeth byw yn ein byd, pysgod yn y môr a'r afonydd, adar yn yr awyr, trychfilod yn y llynnoedd a'r pyllau, blodau a choed ar y dirwedd. Diolch i Ti am ein creu ni. Rydym i gyd yn dibynnu ar yr aer o'n cwmpas.

Amen

Llygredd yn yr Aer

(Adnoddau – model o gar, llun ffatri, can o chwistrellwr gwallt)

Dw i am i chi edrych ar y canlynol a dweud beth sydd gan bob un o'r rhain i wneud ag aer.

(Dangos y car, y llun o'r ffatri, a'r chwistrellwr)

Mae pob un o'r rhain yn llygru'r aer o'n cwmpas. Fuasech chi ddim yn hoffi yfed dŵr budr ond yn aml iawn rydach chi'n anadlu aer budr heb sylweddoli ei fod o'n fudr oherwydd nid ydach chi'n gallu gweld aer.

1. Mae'r mwg sy'n dod allan o egsôst car yn gallu bod yn fudr ac mae hyd yn oed un car yn gallu llygru'r aer. Mae 'na filoedd ar filoedd o geir yn y wlad hon yn enwedig yn y dinasoedd a'r trefi mawr ac mae'r holl fwg a nwyon gwenwynig yn niweidio'r amgylchedd. Dyna pam mae'n rhaid i egsôst pob car gael prawf i wneud yn siŵr nad ydi o'n llygru'r aer. Dyna pam hefyd y dylai pob gyrrwr car roi petrol sydd ddim yn cynnwys plwm yn y tanc oherwydd fod plwm yn wenwynig.

2. Os ydach chi'n byw wrth ymyl ffatrïoedd, mae'n siŵr eich bod chi wedi gweld yr holl fwg sydd yn dod allan o'r simneiau. Dyna beth arall sydd yn gwneud yr aer yn fudr ac os ydi hi'n wyntog fe fydd y gwynt yn chwythu'r aer hwnnw ymhellach.

3. Ychydig o flynyddoedd yn ôl fe wnaeth pobol ddarganfod fod caniau chwistrell gwallt fel hwn yn llygru'r aer bob tro yr oedd yn cael ei ddefnyddio. Mae'r rhain eto yn gallu rhyddhau nwyon arbennig. Erbyn hyn mae llawer o bethau fel chwistrellwr gwallt a phersawr yn cael eu gwneud heb y nwyon gwenwynig. Gofalwch felly eich bod yn defnyddio'r rhai sy'n ddiogel

Gweddi:
Cymorth ni O Dduw i ddeall beth yw llygredd a sut y gall pob un ohonom weithio i gadw'r aer o'n cwmpas yn lân ac yn bur.

Amen

Effaith y Llygredd

(Cyfarpar gweld – glôb)

Os edrychwn ni ar y byd, fe welwn mai'r rhannau gwyrdd yw'r tir a'r rhannau glas yw'r môr. Dyma Begwn y Gogledd a dyma Begwn y De. Mae'n oer ofnadwy yno trwy'r flwyddyn, yn enwedig yn y gaeaf. Efallai eich bod wedi gweld lluniau yn dangos trwch dwfn o rew dros yr ardal i gyd. Hefyd mae na glogwyni o rew yn arnofio yn y môr o amgylch.

O gwmpas y byd, uwchben ac yn uchel i fyny, mae na haen denau sy'n cael ei galw yn haen yr Osôn. Hon sy'n cadw nwyon gwenwynig rhag dod yn rhy agos at y ddaear. Ond os ydi'r aer uwch ein pennau yn cael ei lygru gan egsôst ceir a ffatrioedd, mi fydd yr haen Osôn yn mynd yn deneuach.

Mae nhw'n dweud pe bae hynny'n digwydd, y bydd y clogwyni rhew yn dechrau toddi. Bydd y tywydd yn cynhesu ac felly fe fydd llai o eira. Os bydd na lai o rew ac eira, fe fydd mwy o ddŵr yn y môr ac mae peryg wedyn i diroedd a gwledydd sydd yn isel at lefel y môr gael eu boddi.

Fe wnaeth Duw y byd a phob dim sydd ynddo. Fe roddodd Duw y byd i ni ofalu amdano. Mae'n bwysig iawn felly ein bod yn gwneud pob dim fedrwn ni i gadw'r aer uwch ein pennau yn lân ac yn bur.

Gweddi:
Cawsom fyd perffaith ac yn raddol rydym yn ei ddifetha. Gwna i ni sylweddoli, O Dduw, fod y byd o'n cwmpas yn eiddo nid yn unig i ni ond i bawb fydd yn byw ynddo am ganrifoedd eto.

Amen

Ann Frank

A oes un ohonoch yn sgwennu dyddiadur bob diwrnod? Mae'n ffordd dda o gofnodi beth sydd wedi digwydd yn ystod y dydd. Mae'n ffordd dda hefyd, yn enwedig os ydach chi'n cloi neu'n cuddio eich dyddiadur, i sgwennu eich teimladau personol. Efallai, ryw ddiwrnod pan fyddwch chi'n hen, y cewch chi bleser yn darllen eich dyddiadur i atgoffa eich hun am beth a wnaethoch chi pan oeddech chi'n ifanc.

Dyma i chi stori drist iawn am ferch a oedd yn sgwennu dyddiadur yn ddyddiol, ac mae'r dyddiadur hwnnw erbyn heddiw yn un enwog iawn.

Ganwyd merch o'r enw Ann yn yr Almaen yn 1929. Roedd ei theulu yn Iddewon ac yr oedd yr Iddewon yn dod yn wreiddiol o ardal Iesu Grist. Pan anwyd Ann roedd na filiynau o Iddewon yn byw mewn gwahanol wledydd, yn enwedig yn Ewrop. Pan ddechreuodd yr Ail Ryfel Byd yn 1939, roedd yn rhaid i bawb a oedd efo gwaed Iddewig ddianc o'r Almaen oherwydd fod yr Almaenwyr am eu lladd. Dihangodd Ann a'i theulu i Amsterdam, lle roedd ei thad yn gweithio mewn swyddfa. Uwchben y swyddfa honno roedd na ystafelloedd gwag ac yno yr aeth y teulu i fyw.

Bywyd diflas oedd bywyd Ann a'r teulu. Roedd yn beryglus mynd allan oherwydd fod milwyr o'r Almaen yn cerdded y strydoedd. Yn aml roedd y milwyr yn mynd i dai pobol er mwyn chwilio am Iddewon yno. Ar yr adegau hynny roedd Ann a'i theulu yn cuddio. Roedd y diwrnod yn hir i Ann a dechreuodd sgwennu dyddiadur. Bob diwrnod byddai'n sgwennu rhywbeth ynddo fo, rhywbeth fel hyn:

"Mae'n rhaid i bob Iddew wisgo Seren Dafydd ar ei fraich. Mae llawer o'n ffrindiau Iddewig ni yn cael eu gyrru o 'ma. Mae'r Gestapo yn eu cam drin ac yn mynd â nhw i Wersyll mawr yn Drenthe o'r enw Westerbork."

"Rwyf yn dioddef efo'r miliynau o Iddewon. Ac eto wrth edrych ar yr awyr, rwy'n teimlo rywsut y bydd pethau'n newid er gwell, y bydd diwedd ar y creulondeb ac y bydd heddwch a llonyddwch yn dychwelyd unwaith eto."

Treuliodd y teulu ddwy flynedd a mis yn cuddio rhag y milwyr. Yn anffodus cafodd y teulu eu dal trwy dwyll ac aeth y milwyr â nhw i gyd i Wersyll Bergen-Belsen a oedd dan ofal y Natsïaid. Bu Ann farw yn 15 oed yn 1945 ar ôl dioddef efo teiffus, a bu amryw o'i theulu farw hefyd yn y Gwersyll.

Ar ôl i'r rhyfel orffen, roedd un o'i ffrindiau wedi cadw Dyddiadur Ann yn ddiogel ac fe gafodd ei gyhoeddi yn 1947. Erbyn heddiw mae'r Dyddiadur wedi cael ei gyfieithu i 67 o ieithoedd ac mae'n llyfr enwog.

Mae 'na Amgueddfa i'w gweld heddiw yn Amsterdam, i gofio am y ferch ddewr o'r enw Ann Frank.

Gweddi:
Mae'n anodd iawn ambell dro O Dduw gofyn i Ti faddau i bobl sydd yn gwneud pethau ofnadwy i bobl eraill. Maddau i ni os ydym ninnau wedi gwneud rhywbeth drwg, dim ots pa mor fychan, a dysg ni i fyw yn well.
Amen

Leonard Cheshire

Yn ystod yr Ail Ryfel Byd, roedd na gannoedd o ddynion yn hedfan awyrennau efo'r Awyrlu. Fe gafodd llawer o ddynion eu lladd, a llawer eu hanafu. Fe gafodd llawer o ddynion hefyd ganmoliaeth a medalau oherwydd eu bod wedi dangos dewrder. Un o'r dynion hynny oedd Leonard Cheshire.

Group Captain efo'r Awyrlu oedd Leonard Cheshire a bu'n ymladd mewn brwydr awyr enwog iawn sef *'The Battle of Britain'*.

Ar ôl i'r rhyfel orffen, penderfynodd Leonard Cheshire helpu ei ffrindiau a phobol eraill a oedd wedi cael eu brifo yn y rhyfel. Adeiladodd gartrefi yma ac acw, ar gyfer pobol anabl. Ymhen ychydig o flynyddoedd dechreuodd adeiladu cartrefi mewn gwledydd fel Canada, America, Rwsia, Ewrop a'r Caribî. Mae pob cartref wedi cael ei alw yn Cheshire Home.

Erbyn hyn mae tua 500 miliwn o bobol anabl yn y byd ac oherwydd Leonard Cheshire mae bywydau llawer ohonyn nhw yn hapusach. Oherwydd iddo wneud gwaith mor dda i helpu'r anabl, cafodd ei urddo'n Farchog a'i alw wedyn yn Syr Leonard Cheshire.

Gweddi:
Ers i'r byd gael ei greu mae dyn wedi bod yn ymladd cyd-ddyn a gwlad wedi bod yn ymladd gwlad. Diolch i Ti O Dduw am bobl fel Leonard Cheshire ac am ei waith da yn helpu rhai a gafodd eu hanafu mewn rhyfeloedd.
Amen

Martin Luther King

Roedd Martin Luther King yn byw efo'i frawd, ei chwaer a'i rieni yn Atlanta, America. Cafodd ei eni yn 1929 ac roedd o a phob aelod o'i deulu efo croen tywyll.

Cafodd ei ddysgu gan ei dad, a oedd yn weinidog, i barchu pawb, dim ots beth oedd lliw eu croen. Pan oedd Martin yn hogyn bach roedd yn chwarae'n aml efo hogyn bach gwyn a oedd yn byw wrth ymyl. Ond pan ddechreuodd y ddau fynd i'r ysgol, roedden nhw'n gorfod mynd i ysgolion gwahanol. Rhaid oedd i Martin fynd i ysgol lle roedd pawb efo croen tywyll, a'i ffrind o fynd i ysgol arall lle roedd pawb efo croen gwyn. Nid oedd Martin yn cael chwarae efo'i ffrind ar ôl hynny ac wrth dyfu i fyny, daeth i sylweddoli fod pobol ddu yn cael eu trin yn wahanol i bobol wyn.

Ar ôl tyfu i fyny aeth i'r Coleg a chael ei wneud yn weinidog fel ei dad. O hynny ymlaen gweithiodd dros hawliau pobol liw, trwy drefnu protestiadau heddychlon a thrwy fynd o amgylch y wlad yn sôn pa mor annheg oedd bywyd i rywun a oedd â chroen tywyll oherwydd eu bod yn cael llai o barch na phobol a oedd â chroen gwyn.

Yn 1963 rhoddodd araith bwysig i filoedd o bobol, - araith sy'n disgrifio ei freuddwyd ef am hawliau pobol liw. Mae'r araith yn enwog hyd heddiw *"I have a dream"*. Yn 1964 enillodd Wobr Heddwch Nobel ond yn 1968, tra oedd o yn Tennessee, cafodd ei saethu a'i ladd.

Dyma rai o eiriau yr araith enwog honno gan Martin Luther King:

"Mae gen i freuddwyd y bydd y genedl hon, ryw ddiwrnod, yn codi ac yn cadarnhau ei chredo bod dynion wedi'u creu yn gyfartal."

Ar y trydydd dydd Llun bob mis Ionawr yn America, bydd ysgolion, swyddfeydd a banciau i gyd yn cau am y diwrnod er mwyn cofio Martin Luther King a'r gwaith da a wnaeth i roi tegwch i bawb, dim ots beth ydi lliw eu croen.

Gweddi:
O Dduw, rwyt Ti wedi creu pob un ohonom yn wahanol. Mae lliw croen rhai yn dywyll a lliw croen eraill yn olau. Dysg ni i garu ein gilydd ac i ddeall ein bod i gyd yn werthfawr yn dy olwg Di.

Amen

Sul Coffa

(Angen Pabi Coch neu cael rhai o'r plant i wisgo Pabi Coch)

Ers dyddiau bellach mae llawer o bobol o gwmpas wedi bod yn gwisgo Pabi Coch. Mae'r blodau wedi bod ar werth ar gyfer dydd Sul nesaf – Sul sy'n cael ei alw'n Sul Coffa. Y diwrnod hwnnw, am 11 o'r gloch yn y bore, bydd gwasanaethau byr yn cael eu cynnal wrth Gofeb y Cenotaph yn Llundain a thros y wlad i gyd, pan fydd torch o flodau'r pabi coch yn cael ei rhoi er cof am y rhai fu farw mewn rhyfeloedd. Dyma stori'r Pabi coch:

Roedd na Ryfel Byd rhwng 1914 a 1918. Un diwrnod yn ystod y rhyfel aeth dyn o'r enw Earl Haig o Loegr i Flanders yn Ewrop. Roedd cryn dipyn o ymladd yno ac arhosodd Earl Haig yno i ymladd gyda'r milwyr. Fe laddwyd llawer o'r milwyr ac roedd y gweddill wedi blino ac eisiau rhoi'r gorau i'r frwydr. Felly cytunodd arweinwyr y gwahanol wledydd i arwyddo cytundeb i ddweud y byddai'r rhyfel yn gorffen am 11 o'r gloch ar yr 11eg o Dachwedd, sef yr unfed mis ar ddeg o'r flwyddyn.

Gwelodd Earl Haig yr holl filwyr o'i amgylch,- rhai wedi cael eu lladd wrth ymladd dros eu gwlad, rhai wedi cael eu clwyfo a'r gweddill wedi blino'n llwyr. Mewn cae wrth ymyl, gwelodd filoedd o babi coch yn tyfu. Edrychodd yn ôl ar y milwyr a dywedodd *"We will remember them. We will remember every soldier who has fought to save our country."*

Dyna pam y bydd pawb yn gwisgo Pabi Coch tua'r adeg yma o'r flwyddyn. Dyna pam hefyd dydd Sul nesaf ac ar Dachwedd 11 am 11 o'r gloch yn y bore y bydd pawb yn cadw'n dawel am ddau funud er mwyn cofio'r holl filwyr a fu farw mewn rhyfeloedd, nid yn unig yr Ail Ryfel Byd ond pob rhyfel sydd wedi bod hyd heddiw.

Gweddi:
Gall cweryla heddiw droi yn rhyfel fory. Gofynnwn i Ti O Dduw wneud arweinyddion y gwledydd yn ddoeth. Rho gymorth i'r rhai ofnus fod yn ddewr a rho gysur i deuluoedd sydd wedi colli rhywun annwyl oherwydd rhyfel.

Amen

Rhyfeloedd Heddiw/Ffrindiau

Os ydach chi wedi gorfod symud o un ysgol a mynd i ysgol newydd ryw dro, efallai yn ystod y dyddiau cyntaf eich bod wedi teimlo'n unig iawn a theimlo hefyd fod pawb o gwmpas yn syllu arnoch chi. Ond ar ôl i chi gael un ffrind, roedd pawb wedyn eisiau dod i'ch adnabod yn well ac ar ôl i chi gael ffrindiau, roeddech chi wedyn yn teimlo'n hapusach yn yr ysgol newydd. Mae'n beth braf cael ffrindiau ond mae'n bwysig eich bod yn cadw eich ffrindiau hefyd. Mae 'na ddywediad yn Saesneg:

"Make friends, make friends; never, never break friends."

(Gellir cael 1 neu 2 o blant i sôn am eu ffrindiau e.e.)

"Fy ffrind i ydi......... Byddwn yn chwarae efo'n gilydd bob amser chwarae, ac ar fore dydd Sadwrn byddwn ein dau yn mynd i ymarfer chwarae pêl-droed."

Ambell dro mae plant yn ffraeo efo'i gilydd ac yn torri cyfeillgarwch. Mae hyn yn gallu bod yn beryglus, yn enwedig os ydi rhywun yn colli tymer a dechrau ymladd.

Ambell dro mae gwledydd yn ffraeo efo'i gilydd ac mae hynny'n gallu bod yn ddechrau rhyfel. Unwaith mae 'na ryfel rhwng gwledydd mae milwyr a phobl ddiniwed wedyn yn cael eu lladd. Gall rhyfel barhau am flynyddoedd ac yn aml iawn nid oes neb yn ennill ar y diwedd.

Gweddi:
Diolch O Dduw am fy ffrindiau,
Diolch am gael y cyfle i ddysgu rhannu,
Diolch am yr hwyl a gawn yn chwarae efo'n gilydd,
Gwna i ni sylweddoli fod ffrae neu gweryl bach yn gallu troi yn gweryl mawr.

Amen

Moses

Mae 'na raglen yn cael ei dangos ar y teledu yn aml am bobol sydd wedi cael eu gadael ar ynys a'u tasg yw bod yn hunan gynhaliol mewn man lle nad oes siop, na dŵr tap na stôf i goginio. Enw'r rhaglen yw *"The Survivors."* Ar ôl bod ar yr ynys am ychydig o oriau, mae na un person sydd yn ymddangos yn well am drefnu pethau na'r gweddill ac fel arfer y fo neu hi sy'n cael y cyfrifoldeb o 'arwain' pawb arall yn y gweithgareddau. Mae swydd arweinydd yn bwysig iawn ac mae na lawer o bobol y cawn eu hanes yn y Beibl a oedd yn dda am arwain pobol eraill i fynd i ambell le neu i roi cyngor call iddyn nhw.

Un tro yng Ngwlad yr Aifft roedd na deulu o 5 yn byw mewn pentref bach,- tad, mam, bachgen o'r enw Aaron, merch o'r enw Miriam a babi bychan. Roedd Pharo, Brenin y wlad honno am ladd pob baban a oedd newydd ei eni os baban yn perthyn i'r Israeliaid oedd o.

Roedd Miriam a'i mam ofn i rywbeth ddigwydd i'w babi bach a dyma nhw'n cael syniad – gwneud crud allan o'r brwyn a oedd yn tyfu ar lan yr afon, paentio tu allan i'r crud efo tar i gadw'r dŵr allan, rhoi'r babi bach yn y crud a'i guddio yn y brwyn yn yr afon. Roedd Miriam yn cadw golwg ar y crud o bell.

Un diwrnod daeth tywysoges, sef merch y Brenin, at yr afon a gweld y crud. Dywedodd fod yn rhaid cael morwyn o rywle i ofalu am y baban a rhedodd Miriam i nôl ei mam. "Moses fydd ei enw", meddai'r dywysoges, a phan welodd hi y wraig a oedd efo Miriam yn edrych mor eiddgar arni gofynnodd iddi "a wnewch chi ofalu amdano?" Roedd Miriam wrth ei bodd o wybod mai ei mam hi sef mam y baban a fyddai'n gofalu andano.

Pan dyfodd Moses yn hŷn, dewisodd Duw o i arwain ei bobol allan o'r Aifft a mynd ar daith bell i dir Canaan.

Gweddi:
Diolch i Ti O Dduw am ofalu fod Moses wedi cael y cyfle i dyfu i fyny i fod yn arweinydd i'w bobol. Diolch i Ti hefyd am yr holl arweinwyr sydd ers canrifoedd wedi bod yn gyfrifol am arwain pobol eraill allan o berygl.

Amen

Samuel

Fyddwch chi ambell dro yn helpu rhywun hen sy'n byw drws nesaf i chi neu wrth eich ymyl? Dyma stori o'r Beibl am hogyn bach a oedd yn helpu dyn o'r enw Eli. Roedd Eli yn gofalu am y Deml ond roedd o'n hen iawn ac roedd bachgen bach o'r enw Samuel yn ei helpu ac yn ysgafnhau'r gwaith iddo. Byddai Samuel yn agor a chau drysau'r deml yn y bore a gyda'r nos. Byddai hefyd yn glanhau'r lampau olew ac yn cadw'r Deml yn lân.

Un noson pan oedd Samuel yn cysgu, meddyliodd ei fod yn clywed Eli yn galw ei enw. Cododd o'i wely a rhedodd ato.
"Wnest ti fy ngalw i?"
"Naddo, dos yn ôl i gysgu."

Aeth Samuel yn ôl i'w wely ond clywodd y llais unawith eto ac aeth yn ôl at Eli.
"Eli, mi glywais dy lais yn galw arna i eto."
"Na, nid fy llais i oedd o. Dos yn ôl i gysgu."

Clywodd Samuel y llais y trydydd tro a dywedodd Eli wrtho:
"Os clywi di'r llais eto, mae'n rhaid i ti ddweud "Dyma fi Dduw."

Pan glywodd Samuel y llais eto, ufuddhaodd i Eli a dywedodd, "Dyma fi Dduw." Dywedodd Duw wrtho y byddai'n tyfu i fyny i wneud gwaith pwysig i'w helpu o. Byddai'n gofalu am ei bobol ac yn eu harwain i fyw bywyd da.

Gweddi:
Dysg ni i wrando. Dysg ninnau hefyd i ddweud 'Dyma fi Dduw'. Dysg ni i fod yn ddistaw fel y gallwn glywed Duw yn siarad efo ni yn ein meddyliau.

Amen

Dafydd

Heddiw dw i am ddweud stori wrthoch chi am fachgen bach o'r enw Dafydd. Bugail oedd Dafydd, yn gofalu am ddefaid ei dad. Roedd yn waith peryglus iawn. Yn y dydd byddai Dafydd yn arwain y defaid dros y bryniau i chwilio am borfa dda iddyn nhw. Yn y nos, byddai'n casglu'r defaid i'r gorlan ac yn plethu brigau ar draws y bwlch er mwyn cadw'r anifeiliaid gwylltion i ffwrdd.

Un diwrnod, eisteddai Dafydd yn gwylio'r defaid yn bwyta. Yn sydyn gwelodd rywbeth yn symud ym mhen pella'r cae. Gwelodd mai llew oedd o a bod un oen bach wedi crwydro i'r un cyfeiriad. Cydiodd y llew yn yr oen bach a'i gario yn ei geg. Cofiodd Dafydd am ei ffon dafl. Cymerodd garreg gron o'r cwdyn a oedd wrth ei wregys a thaflodd y garreg gyda'i ffon dafl tuag at y llew a'i daro yn ei dalcen. Cafodd y llew niwed mawr a gollyngodd yr oen. Rhedodd Dafydd at yr oen bach a'i gario at yr afon, ei olchi'n lân yn y dŵr ac wedyn ei gysuro oherwydd ei fod wedi dychryn.

Tri pheth a ddefnyddiai Dafydd wrth fugeilio'r defaid:
ffon dafl i ddychryn anifeiliaid gwyllt,
ffon i achub dafad a oedd mewn perygl
telyn i gael canu i Dduw.

Byddai Dafydd wrth ei fodd yn canu'r delyn a ffurfio caneuon am Dduw a phrydferthwch y byd. Mae'r caneuon hyn yn cael eu galw'n salmau ac mae nhw'n dal i gael eu canu heddiw. Dyma ran o Salm 23 sydd yn un o'r salmau mwyaf poblogaidd –salm arbennig wedi cael ei chyfansoddi gan fugail ac mae'n sôn am fugail sef Duw yn gwylio drosom ac yn gofalu amdanom yn union fel yr oedd Dafydd yn gofalu am yr oen bach.

"Yr Arglwydd yw fy mugail, ni bydd eisiau arnaf.
Gwna imi orwedd mewn porfeydd breision,
a thywys fi gerllaw y dyfroedd tawel ".

Pan dyfodd Dafydd yn ddyn, dewisodd Duw ef i fod yn Frenin ar ei bobol yn Israel.

Gweddi:
Roedd Dafydd yn mwynhau gofalu am y defaid ar gopa'r bryn a gweld prydferthwch y wlad o'i gwmpas. Roedd o hefyd yn mwynhau canu i Dduw yn union fel yr ydym ni yn yr ysgol yn mwynhau canu a moli. Gwrando ar ein moliant i Ti O Dduw.

Amen

Morwyn Namaan

Os ydi rhywun yn sâl, ydych chi'n teimlo eich bod eisiau eu helpu a'u gwella? Mae meddygon wedi bod o gwmpas ers canrifoedd ond dydyn nhw ddim yn gallu eich gwella bob amser. Dyma i chi stori o'r Beibl am eneth ifanc a adawodd ei chartref a mynd ymhell i ffwrdd i weithio fel morwyn yn nhŷ Namaan a'i wraig.

Roedd Namaan yn filwr pwysig a chyfoethog iawn ym myddin y Brenin. Dyn trist oedd o oherwydd ei fod o'n sâl a doedd neb wedi gallu ei wella. Pan aeth y forwyn fach yno i weithio, roedd hi'n ddigalon iawn ac yn hiraethu am ei theulu, ond roedd gwraig Namaan yn ddynes garedig a chyn bo hir roedd y forwyn fach yn llawer hapusach.

Un diwrnod dywedodd y forwyn fach wrthynt am ddyn o'r enw Eliseus a oedd yn byw yn ei gwlad hi. Roedd o'n ddyn duwiol iawn ac roedd o'n gallu iacháu pobol sâl. Penderfynodd Namaan fynd i'r wlad honno. Ar ôl teithio am amser hir, aeth i weld Brenin y wlad ond nid oedd y Brenin yn gallu gwneud dim i'w helpu. Clywodd Eliseus am Namaan a'i fod o eisiau cael ei wella. Gyrrodd neges iddo fynd at yr afon Iorddonen. Rhaid oedd iddo wedyn ymolchi ei hun yn nŵr yr afon saith gwaith a byddai Duw wedyn yn ei wella. Roedd Namaan yn anfodlon gwneud hyn ond wedi ail feddwl cytunodd i fynd at yr afon. Ar ôl iddo ymolchi ei hun saith gwaith yn y dŵr, gwelodd ei fod wedi cael ei iacháu.

Aeth adref at ei wraig a'r forwyn fach a diolchodd pawb i Dduw oherwydd fod Namaan wedi cael ei wella.

Gweddi:
Diolch i Ti O Dduw am feddygon, nyrsys a phawb sydd yn gweithio mewn ysbytai a chartrefi gofal. Arwain nhw i wneud penderfyniadau doeth ac i fod yn amyneddgar wrth wella cleifion. Er mwyn Iesu Grist.

Amen

Joseff

Ymhell cyn i Iesu Grist gael ei eni, roedd na ddyn o'r enw Jacob ac roedd ganddo 12 o feibion. Enw'r mab lleiaf ond un oedd Joseff a'i waith o ar y fferm lle roedd y teulu'n byw oedd edrych ar ôl rhai o'r anifeiliaid. Roedd Jacob yn hoff iawn o Joseff a rhoddodd anrheg arbennig iddo – gwisg liwgar a oedd yn cael ei galw'n siaced fraith.

'Doedd brodyr Joseff ddim yn hapus o gwbl fod eu tad yn rhoi anrhegion i Joseff. Yr oedd Joseff yn breuddwydio cryn dipyn. Un freuddwyd a gafodd oedd gweld ysgubau ŷd ei frodyr yn plygu i addoli ei ysgub ŷd ef. Ystyr hyn oedd y byddai brodyr Joseff ryw ddiwrnod yn ymgrymu iddo ef. Roedd y brodyr yn eiddigeddus o Joseff ac yn flin iawn o glywed am y breuddwydion hyn.

Un diwrnod, tra oedd y brodyr yn gwylio'r anifeiliaid dyma nhw'n gweld Joseff yn dod atyn nhw. "Beth am ei ladd o a'i roi o mewn pydew a deud wrth ein tad ei fod wedi cael ei ladd gan fwystfil. Fydd na ddim mwy o freuddwydio wedyn." Ond roedd un o'r brodyr yn hoff iawn o Joseff a doedd o ddim eisiau ei weld o'n cael ei ladd. "Na, rhowch o yn y pydew ond peidiwch a'i ladd o." Pan ddaeth Joseff at ei frodyr, dyma nhw'n ei daflu i'r pydew ond yn cadw ei wisg a rhoi gwaed anifail gwyllt arni. Dyma nhw wedyn yn gwerthu Joseff i farsiandwyr a oedd ar eu ffordd i'r Aifft. Aeth y brodyr adref wedyn at eu tad a dweud wrtho fod Joseff wedi cael ei ladd. Roedd Jacob yn drist iawn.

Mae gweddill y stori am Joseff yn un hapus. Bu Joseff yn byw yn yr Aifft am flynyddoedd a fo oedd yn rheoli'r wlad i Pharo. Pan ddaeth newyn difrifol yng ngwlad Canaan, maddeuodd Joseff i'w frodyr a rhoddodd fwyd iddyn nhw a Jacob ei dad. Felly fe ddaeth breuddwyd Joseff am yr ysgubau ŷd yn wir

(*Gellir chwarae rhan o "Freuddwyd Joseff" allan o'r sioe gerdd "Joseff"*)

Gweddi:
Dysgodd Joseff garu ei frodyr er eu bod wedi ei fradychu. Dysg ni hefyd O Dduw i faddau i bawb sydd yn dweud pethau cas amdanom er bod hynny ambell dro yn beth anodd i'w wneud.

Amen

Anifeiliaid Anwes

Mae na bob math o anifeiliaid i'w cael yn y wlad hon, rhai mawr a rhai bach, rhai gwyllt a dof, rhai sy'n cysgu yn y dydd a rhai sy'n cysgu yn y nos, rhai sy'n anifeiliaid fferm a rhai sy'n hoffi crwydro yn y wlad.

(Gellir trafod ac enwi rhai o'r anifeiliaid hyn yn enwedig gyda phlant ifanc)

Rydan ni'n galw yr anifeiliaid sydd gennym adref yn anifeiliaid anwes. Ni sy'n gofalu amdanyn nhw, yn eu dofi, yn eu bwydo ac yn eu cadw'n lân. Dyma hanes rhai o'n hanifeiliaid anwes.:

1. Mae gen i gi du a gwyn. Smot ydi ei enw fo. Mi fydda' i yn rhoi bwyd iddo bob nos ac wedyn yn mynd â fo am dro.

2. Mae gen i gath o'r enw Triban. Mae hi'n hoffi cael llefrith yn ei soser. Ambell dro mae hi'n gath ddrwg achos mae hi'n dal llygoden a dod â hi i'r tŷ.

3. Mae gen i hamster neu fochdew o'r enw Mabli. Mae Mabli yn ddof iawn. Ar ôl i mi lanhau ei chawell byddaf yn chwarae efo hi ar y carped. Pan fydd hi yn y gawell bydd wrth ei bodd yn mynd i fyny ac i lawr y si-so pren a brynais iddi hi.

3. Mae gen i dri pry pric. Un bore pan ddeis i i lawr y grisiau, roedd un pry pric wedi dianc. Gwelodd Mam o. Roedd o wedi dringo ar ben y llenni ac oherwydd mai gwyrdd oedd lliw y llenni roedd yn anodd i'w weld oherwydd ei fod yntau yn wyrdd hefyd.

Mae anifeiliaid anwes yn dibynnu arnom ni. Ni allant gael eu bwyd eu hunain oherwydd nid ydyn nhw'n anifeiliaid gwyllt. Os ydyn nhw'n sâl mae'n rhaid mynd â nhw at y milfeddyg. Mae'n rhaid hefyd cadw'r anifeiliaid anwes yn lân ac os ydyn nhw'n byw mewn cawell mae'n rhaid glanhau'r cawell yn rheolaidd. Mae'n braf cael anifail anwes ond mae hefyd yn gyfrifoldeb mawr.

Gweddi:
> Diolch am ein hanifeiliaid anwes,
> Diolch am gŵn a chathod,
> Diolch am lygod dof a'r bochdewion,
> Diolch am bysgod aur ac adar lliwgar.
> Diolch am y crwban a'r ceffylau.
> Dysg ni i fod yn garedig wrthynt i gyd.   Amen

RSPCA

Mae llawer ohonom yn edrych ar ôl anifeiliaid anwes ond fe ddylem ni fod yn garedig wrth bob anifail, gwyllt neu ddof. Mae na lawer o bobol sy'n gallu bod yn greulon wrth anifeiliaid – hyd yn oed anifeiliaid anwes. Dyna pam mae na gannoedd o bobol yn gweithio i'r RSPCA – *the Royal Society for the Prevention of Cruelty to Animals*. Eu gwaith nhw yw cadw golwg ar sut mae anifeiliaid yn cael eu trin. Ambell dro mae nhw'n cael pobol yn cwyno ar y ffôn ynglŷn â rhywun sy'n greulon wrth anifail. Os ydi'r RSPCA yn gweld fod rhywun yn greulon wrth anifail, mae nhw'n mynd â'r anifail i le diogel ac yn aml bydd y perchennog yn mynd o flaen llys ac yn cael dirwy neu ffein.

Dyma beth yw eu gwaith:

1. Rhoi cyngor ar sut i ofalu am anifail.

2. Achub anifail os ydi o mewn perygl.

3. Cael cartrefi newydd i anifeiliaid sydd wedi dioddef.

4. Gofalu am ysbytai lle mae anifeiliaid yn cael triniaeth ar ôl cael eu cam-drin.

5. Gofalu am anifeiliaid sy'n ddigartref.

Cofiwch felly fod yn garedig wrth bob anifail, ac os gwelwch chi anifail yn dioddef, dylech ffonio'r RSPCA.

Os ydach chi'n bwriadu cael ci neu gath fach, cofiwch cyn prynu fod llawer o gŵn a chathod sydd yn cael gofal gan yr RSPCA angen cartref. Efallai y medrwch chi roi cartref i un o'r anifeiliaid ond cofiwch hyn:

1. Rhaid i'ch rhieni gytuno i chi gael anifail.

2. Wrth brynu ci neu gath, mi ryda chi'n prynu anifail am gyfnod hir. Cofiwch fod gofalu am anifail yn gyfrifoldeb mawr. Fedrwch chi ddim newid eich meddwl ar ôl ei brynu. Os gofalwch chi'n iawn amdano bydd yntau yn ffrind oes i chi.

Os gwelwch chi anifail yn dioddef neu wedi brifo peidiwch byth â cheisio ei symud. Mae gweithwyr yr RSPCA yn gwybod sut i drin pob anifail, felly ffoniwch **nhw** ac wedyn fe gaiff yr anifail y gofal gorau.

Gweddi:
Arglwydd Iesu, a ddywedaist wrthym i gyd am garu ein gilydd, dysg ni i fod yn garedig wrth anifeiliaid ac i beidio â'u cam-drin. Diolch am bawb sydd yn gofalu am anifeiliaid digartref a rhai sydd wedi dioddef creulondeb.

Amen

Anifeiliaid sydd mewn perygl

(Angen lluniau o foch daear, wiwer a dyfrgi)

Faint ohonoch chi sydd wedi gweld wiwer? Pa liw oedd hi? Mae na wiwerod coch a llwyd i'w cael ond mae gwiwerod coch wedi mynd yn brin iawn erbyn hyn. Anifeiliaid eraill sy'n anodd eu gweld yng Nghymru yw'r dyfrgi a'r mochyn daear. Ar ambell i ran o ffyrdd dros y wlad mae na arwyddion rwan yn rhybuddio gyrwyr i fod yn wyliadwrus oherwydd fod moch daear o gwmpas. Dyma i chi luniau wiwer, mochyn daear a dyfrgi.

Dros y byd mae na lawer o anifeiliaid sy'n mynd yn fwy prin, un ai oherwydd fod eu cynefin yn diflannu neu'n newid, neu oherwydd creulondeb pobol. Dyma i chi rai enghreifftiau.

1. Rhinoseros
Mae'r anifeiliaid hyn i'w cael yn Affrica, India ac Indonesia ond erbyn hyn mae eu nifer wedi lleihau - yn enwedig y rhino du. Un rheswm am hynny yw fod y rhino yn cael ei ladd gan helwyr neu botswyr er mwyn iddyn nhw werthu'r cyrn i wneud arian.

2. Gorila
Mae'r gorila i'w weld mewn gwledydd fel Rwanda, Zaire ac Uganda yn Affrica. Yn ddiweddar mae llawer o goedwigoedd wedi cael eu clirio a'r coed wedi cael eu gwerthu er mwyn i ni gael papur a phren. Mae'r tir lle roedd y coed yn cael ei ddefnyddio rŵan fel tir i'w ffermio, ond trwy wneud hyn mae cynefin y gorila yn cael ei ddifetha a dyna pam nad oes na gymaint o gorilas rŵan i'w gweld yn wyllt.

3. Teigr
Tua chan mlynedd yn ôl roedd na 100,000 o deigrod yn y byd. Erbyn heddiw does na ddim ond 5,000 ohonyn nhw.

Sut medrwn ni helpu i gadw'r anifeiliaid hyn sydd mewn perygl rhag diflannu o'n byd?

1. Gofalu am yr amgylchfyd.

2. Taflu sbwriel yn y lle iawn.

3. Ail gylchu pethau fel papur, gwydr, caniau a phlastig.

4. Dysgu mwy am yr amgylchfyd.

5. Cefnogi *World Wildlife Fund* a dysgu am y gwaith mae nhw'n ei wneud trwy'r byd.

Gweddi:

Dy fyd Di yw hwn O Dduw a Thi a greodd yr anifeiliaid i gyd, y rhai hyll a'r rhai del, y rhai addfwyn a'r rhai creulon, y rhai mawr a'r rhai bach. Mae gan bob un o'r rhain hawl i fyw fel ninnau.

Amen

RSPB

Fedrwch chi enwi adar i mi a welwch fel arfer yn yr ardd? Ar lan y môr? Yn y wlad?

Faint ohonoch sy'n rhoi bwyd i'r adar?

Mi fydda i yn bwydo'r adar yn rheolaidd ac yn cadw golwg bob wythnos er mwyn cyfri a chofnodi faint o adar sy'n dod i'r ardd i fwyta'r bwyd. Bob tri mis byddaf yn gyrru'r manylion at yr RSPB – the *Royal Society for the Protection of Birds*. Mae nhw wedyn yn dadansoddi'r ffigurau mae nhw'n eu derbyn a chanlyniad hynny yw gweld pa adar sy'n dechrau mynd yn brin, ym mha ran o'r wlad a beth fedrwn ni i gyd ei wneud i'w cael nhw'n ôl. Oeddech chi'n gwybod fod y fronfraith rŵan yn fwy anodd i'w gweld a bod llai ohonyn nhw dros y wlad i gyd?

Prif waith yr RSPB yw creu a gofalu am warchodfeydd natur ar gyfer bywyd gwyllt – yn enwedig ar gyfer adar. Mae na tua 100 ohonyn nhw yn Lloegr a Chymru. Mae'r RSPB hefyd yn gofalu fod ffermwyr yn ymwybodol o fywyd gwyllt sydd ar eu ffermydd. Efallai mai'r ffaith fod ambell i ffarmwr yn chwistrellu plaladdwr ar ei gnydau sy'n gyfrifol am ladd rhai anifeiliaid ac adar ar eu tiroedd. Tybed ai dyna pam mae na brinder bronfraith yn ein gerddi? Hoff fwyd y fronfraith yw malwod. Hoff fwyd malwod yw dail gwyrdd planhigion newydd. Felly mae'r garddwr yn rhoi peledau ar y pridd i ladd y malwod ac wrth wneud hynny mae hefyd yn gwenwyno'r fronfraith.

Mae'n bwysig felly i chi ddangos diddordeb yn yr adar sydd gynnon ni yng Nghymru. Dysgwch eu henwau. Dysgwch lle rydach chi'n debygol o'u gweld. Dysgwch sut i'w bwydo ac yn bennaf oll dysgwch eu gwylio o bell a pheidio ag ymyrryd â'u nythod a'u cynefin.

Trwy ofalu am yr adar o'ch cwmpas byddwch yn helpu'r RSPB yn eu gwaith. Byddwch hefyd yn helpu i ofalu am greadigaeth Duw.

Gweddi:
Mae Natur yn rhyfeddol O Dduw a dy fyd yn llawn o adar amryliw,- adar a welwn yn ein gerddi, adar a welwn mewn trefi, adar sydd ar y mynyddoedd, adar sydd ar greigiau glan y môr, adar sydd yn y gwledydd trofannol a'r adar sydd yn y gwledydd oer. Cyflwynwn holl adar y byd i'th ofal a dysg ninnau i ofalu am y rhai sydd o'n cwmpas ni.

Amen

Cam-drin Anifeiliaid

(Cyfarpar gweld – potel o dabledi, potel o bersawr, tiwb neu jar o eli at yr wyneb, colur gwefusau ac un eitem gyffelyb o'r "Body Shop*")*

Mae pob un o'r rhain, ond un wedi cael ei ddefnyddio mewn profion i weld os ydyn nhw'n ddiogel i chi eu defnyddio – persawr, colur gwefusau ac eli at yr wyneb. Mae'r tabledi hyn yn cael eu rhoi i chi gan y meddyg, ond wyddoch chi fod pob un o'r rhain wedi cael ei ddefnyddio i gychwyn mewn profion ar anifeiliaid? Mae mwncïod, llygod, cathod a chwningod yn cael eu defnyddio mewn profion yn y labordai, rhai ohonyn nhw'n brofion creulon, er mwyn gwneud yn siŵr eu bod yn ddiogel i chi a'ch rhieni eu defnyddio.

Dyma i chi un neu ddwy o enghreifftiau – mae rhai gwyddonwyr yn bwydo melysion i fwnci er mwyn gweld faint o ddrwg sy'n cael ei wneud i'w ddannedd. Bydd rhai gwyddonwyr yn gwneud i anifeiliaid ysmygu er mwyn gweld faint o ddifrod y mae sigarennau yn ei wneud i'r ysgyfaint. Er mwyn ymchwilio i effaith tabledi ar y corff, bydd cyfres o dabledi yn cael eu rhoi i anifeiliaid bach fel llygod. Mae hyn i gyd yn beth creulon iawn i'w wneud.

Os ydych chi'n teimlo hefyd fod hyn yn greulon, mae na rywbeth y gallwch chi ei wneud i rwystro hyn. Gwnewch yn siŵr eich bod chi a phawb arall yn eich teulu yn gwrthod prynu pethau os ydyn nhw wedi cael eu harbrofi ar anifeiliaid. Prynwch rywbeth sydd efo'r arwydd hwn arno:
"Product not tested on animals."
Mae'r arwydd yna i'w weld ar hwn a brynais i yn y Body Shop.

Os ydan ni'n hoffi anifeiliaid, yna mi ddylen ni brynu mwy o bethau fel hyn. Mi ddylen ni hefyd ysgrifennu at gwmnïau a labordai a dweud pa mor anfodlon ydan ni fod anifeiliaid diniwed yn cael eu defnyddio mewn arbrofion. Pe bae pawb sydd yn y neuadd yma heddiw, yn ogystal â phob bachgen a merch mewn ysgolion eraill yn ysgrifennu llythyr i gwyno, mi fyddai'n rhaid i wyddonwyr wedyn gymryd sylw.

Duw a greodd yr anifeiliaid i gyd ac ni ddylai unrhyw anifail gael ei gam-drin.

Gweddi:
Mae'n ein gwneud yn drist fod cymaint o anifeiliaid yn dioddef oherwydd profion sydd yn cael eu gwneud mewn labordai. Gwna ni'n ddoeth O Dduw pan fyddwn yn prynu nwyddau, yn enwedig eli at y croen neu golur. A gwna i ni wneud amser i ysgrifennu at rai o'r cwmnïau i ddweud mor anfodlon ydym ni fod profion yn cael eu gwneud ar anifeiliaid diniwed.

Amen

Nadolig

Tua'r adeg yma o'r flwyddyn, byddwn yn paratoi at y Nadolig. Bydd Mam yn brysur yn siopa ac yn prynu pethau fel cardiau Nadolig, anrhegion, papur lapio, labeli, addurniadau, coeden Nadolig, goleuadau a bwyd. Bydd rhai pobol yn prynu Calendr Adfent, yn agor un ffenestr bob diwrnod ac yn cyfri faint o ddyddiau sydd i fynd tan ddiwrnod Nadolig.

Yn ein gwlad ni mae na rai plant sy'n meddwl ein bod yn dathlu'r Nadolig er mwyn Siôn Corn. Mae na blant eraill sy'n gwybod ein bod yn dathlu'r Nadolig oherwydd ein bod yn cofio tua'r adeg hon o'r flwyddyn am Iesu Grist yn cael ei eni mewn stabl tlawd ym Methlehem. Dyma beth sy'n digwydd yn ein gwlad ni a'n tŷ ni pan ddaw'r Nadolig:

(Gwaith y plant - enghreifftiau)

1. Ar ddiwrnod Nadolig byddwn yn cofio fod Iesu Grist wedi cael ei eni mewn stabl ym Methlehem. Bydd llawer o bobol yn mynd i addoli mewn gwasanaeth yn y capel neu yn yr eglwys.

2. Dw i'n hoffi'r Nadolig. Byddaf yn rhoi hosan i fyny wrth ymyl fy ngwely ac erbyn y bore bydd Siôn Corn wedi rhoi anrhegion yn yr hosan yn arbennig i mi.

3. Cardiau ac anrhegion

4. Cinio Nadolig

5. Addurno coeden

6. Mynd i weld sioe neu gael parti.

Mae'r Nadolig yn amser prysur iawn ac mae'n llawn hwyl a sbri. Dyna'r adeg yr ydan ni'n cofio fod Iesu Grist wedi cael ei eni dros ddwy fil o flynyddoedd yn ôl. Mae hynny'n amser hir i gofio ond pe bai Iesu Grist heb gael ei eni o gwbl ni fuasai gennym Nadolig!

Gweddi:
O Dduw mae pawb yn dechrau paratoi at Ŵyl y Nadolig. Mae'r siopau yn gwerthu pob math o addurniadau. Mae pobl ymhob man yn prynu anrhegion. Rydym ni yn yr ysgol yn paratoi ac yn ymarfer ein drama Nadolig, ac yn gwneud cardiau lliwgar. Gwna i ni sylweddoli beth yw ystyr yr holl baratoi - mai dyma'r modd yr ydym yn dathlu pen-blwydd Iesu Grist.

Amen

Awstralia

Mi fyddwn ni'n dathlu'r Nadolig yn y wlad hon yn ystod y gaeaf, pan fydd hi'n oer ac yn wlyb. Ym mis Rhagfyr y ceir dydd byrraf y flwyddyn a bydd yn dechrau nosi amser te. Ambell dro mi fydd hi'n ddigon oer i fwrw eira.

Mae Awstralia yr ochr arall i'r byd a phan ydan ni'n cael y gaeaf mae pobl Awstralia'n torheulo yn nhywydd braf yr haf. Mae nhw'n cael Nadolig fel ni ond mae nhw'n ei ddathlu'n wahanol.

Yn Awstralia bydd pobl yn siopa fel ni cyn y Nadolig. Noson cyn y Nadolig mi fydd pobl yn eistedd allan mewn parc yn canu carolau yng ngolau'r sêr. Ar ddydd Nadolig bydd rhai pobol yn mynd i addoli mewn eglwysi ac wedyn fe fydd yn amser cinio. Oherwydd y tywydd poeth, bydd y rhan fwyaf o bobol yn gwneud barbeciw ac yn cael eu cinio allan yn eu gerddi neu ar lan y môr, fel arfer twrci neu gig oen.

Bydd tylwyth yr *Aborigines*, sef yr unig bobol a oedd yn byw yn Awstralia ar un amser, yn bwyta cig crwban môr, cig cangarŵ, neu bysgod. Mae'r *Aborigines* yn bobol dlawd iawn ond bydd rhieni'r plant yn gwneud anrhegion arbennig iddyn nhw, allan o bren. Felly bydd pawb fel ni yn mwynhau'r Nadolig.

Gweddi:
Nid dathliad i'r wlad hon yn unig yw'r Nadolig. Mae pawb ym mhob rhan o'r byd yn paratoi at yr Ŵyl arbennig hon. Helpa bawb i ddeall gwir ystyr y dathlu.

Amen

Mecsico

Yn Mecsico bydd pobol yn dechrau paratoi at y Nadolig tua chanol mis Rhagfyr. Byddant yn mynd o dŷ i dŷ lle bydd parti neu 'posada' yn cael ei gynnal. Un peth mae pawb yn hoffi ei wneud mewn parti yn Mecsico yw chwarae pinata. Jar liwgar ydi pinata, wedi ei gwneud allan o glai ac mae'n llawn cnau a melysion.

Bydd y plant yn eu tro yn gwisgo mwgwd dros eu llygaid ac yn ceisio malu'r pinata trwy ei daro efo ffon hir. Unwaith y bydd y jar yn torri bydd y plant yn cael casglu a bwyta'r cnau a'r melysion.

Noson cyn y Nadolig bydd pawb yn mynd i wasanaeth arbennig am hanner nos a byddant wedyn yn tanio coelcerth ac yn dathlu'r Nadolig trwy oleuo tân gwyllt. Ar fore dydd Nadolig bydd pob coeden Nadolig wedi ei haddurno efo bisgedi sunsur a sinamon.

Gweddi:
Mae na hwyl i'w gael wrth ddathlu, chwarae gêmau, agor ein presantau, agor ffenestri'r calendr Adfent a helpu Mam i gymysgu'r pwdin a'r deisen Nadolig. Diolch am Ŵyl y Nadolig a'r hwyl a gawn.

Amen

Sweden

Cyn y Nadolig, bydd pobol sy'n byw yn Sweden yn cofio am Santes Lucia. Un tro roedd geneth fach yn byw yn Rhufain a'i henw oedd Lucia. Roedd yn credu yn Nuw ac yn Iesu Grist ac felly roedd yn cael ei galw'n Gristion. Roedd llawer o bobol eraill yn Gristnogion hefyd ond roedd yn rhaid iddyn nhw guddio oherwydd fod yr Ymherawdr eisiau eu lladd.

Gwyddai Lucia lle roedd pawb yn cuddio. Yn y nos byddai'n cario bwyd iddyn nhw. Oherwydd fod rhai yn cuddio mewn ogofâu roedd Lucia'n gwisgo band o amgylch ei phen ac ynghlwm wrth y band roedd canhwyllau. Dyna sut y byddai hi yn gweld yn y tywyllwch.

Yn Sweden bydd genod ifanc yn gwisgo fel Santes Lucia ac yn cario hambwrdd o fwyd i'w rhieni. Cyn y Nadolig bydd cannwyll yn cael ei goleuo bob Sul yn ystod Adfent a bydd y gannwyll olaf yn cael ei goleuo ar ddiwrnod Nadolig. Bydd Santes Lucia hefyd yn ymweld ag ysbytai ac yn rhannu anrhegion i'r cleifion.

Gweddi:
Diolch O Dduw fod na gymaint o storïau gwahanol i'w cael am y Nadolig a bod pawb trwy'r byd i gyd yn dathlu'r Ŵyl mewn ffordd wahanol er mwyn cofio am enedigaeth Iesu Grist.

Amen

Dathlu'r Nadolig

Mae'r Nadolig yn amser hapus iawn i lawer o bobol. Ar ôl yr holl baratoi byddwn yn rhoi a derbyn anrhegion, yn gyrru a derbyn cardiau a bydd pawb yn helpu i addurno'r goeden.

Mae pobol wedi bod yn gyrru cardiau Nadolig i'w gilydd ers tua 100 mlynedd, er bod rhai wedi cael eu gwneud cyn hynny. Yn oes Victoria roedd y postmyn yn cael eu galw yn *Robin Postmen* oherwydd fod lliw coch ar eu gwisg. Dyma'r postmyn cyntaf a rannodd gardiau o amgylch tai. Efallai mai dyna pam mae na gymaint o gardiau Nadolig efo llun Robin Goch arnyn nhw.

Bydd llawer ohonom yn rhoi addurniadau i fyny cyn y Nadolig – canhwyllau, tinsel, dail bytholwyrdd a chelyn. Pam celyn? Yn ôl un stori, defnyddiodd Joseff bren y goeden gelyn i wneud tân tu allan i'r stabal er mwyn cadw'r baban Iesu yn gynnes. Mae'r pigau ar ddail y celyn yn ein hatgoffa am y pigau oedd ar y goron ddrain a wisgodd Iesu Grist cyn iddo farw.

Y dyddiau hyn, byddwn yn bwyta twrci a mins pei a phwdin amser cinio ar ddydd Nadolig. Yn oes Victoria roedd rhai pobol yn bwyta cig mochyn, neu ben mochyn gwyllt. Yr adeg honno rhywbeth wedi ei wneud efo cig a ffrwythau oedd y pwdin ac roedd y mins pei hefyd wedi cael ei gwneud efo cig wedi ei falu'n fân.

Beth bynnag sy'n cael ei fwyta wrth ddathlu, bydd miloedd o bobol yn cofio'r adeg y cafodd Iesu Grist ei eni. Mi ddylen ni hefyd gofio fod na filoedd o bobol a phlant eraill yn y byd sy'n rhy dlawd i ddathlu fel ni. Iddyn nhw mae diwrnod Nadolig fel pob diwrnod arall – diwrnod heb fwyd a diwrnod heb anrheg.

Gweddi: (pawb i ymuno 'Diolch i Ti')

Am fwrlwm y paratoi, *Diolch i Ti*.
Am gyfle i siopa, *Diolch i Ti*.
Am galendr Adfent, *Diolch i Ti*.
Am enedigaeth Iesu Grist, *Diolch i Ti*.

Amen

Siôn Corn

Noson cyn y Nadolig bydd plant dros y byd i gyd yn rhoi hosan i fyny ac yn disgwyl cael anrhegion gan Siôn Corn. Father Christmas ydi ei enw yn Lloegr, Pére Noel yn Ffrainc, the Christ Child yn yr Almaen.

Tua mil a hanner o flynyddoedd yn ôl roedd na ddyn da o'r enw Sant Niclas. Yn y dref lle roedd o'n byw roedd na deulu tlawd iawn, - tad, mam a thair o ferched. Nid oedd gan y tad ddigon o arian i adael i'w ferched briodi, ond roedd hefyd yn rhy dlawd i'w cadw nhw adre.

Pan oedd y ferch gyntaf eisiau priodi, gadawodd Niclas fag o aur wrth ymyl ei ffenest. Gwnaeth yr un peth efo'r ail ferch ond pan adawodd y bag aur i'r drydedd ferch, fe welodd y tad ef a bu raid i'r tad addo cadw'r gyfrinach. Dyna pam mae plant yn cael anrhegion adeg y Nadolig.

Yn America cafodd enw Sant Niclas ei newid i Sant Class neu Santa Clôs i ni yng Nghymru.

Mi fydda' i yn hoffi meddwl fy mod i yn rhoi anrhegion i'm ffrindiau yn union fel yr oedd y tri Brenin yn rhoi anrhegion i'r Baban Iesu.

Gweddi:
Dysg ni O Dduw i dderbyn anrheg yn ddiolchgar a pheidio byth â **gofyn** am anrheg. Dysg ni hefyd i gael pleser trwy roi anrhegion i eraill, yn enwedig adeg y Nadolig.

Amen

Carolau

Fe ddechreuodd pobol ysgrifennu a chyfansoddi carolau ychydig gannoedd o flynyddoedd ar ôl geni Iesu Grist. Mae na bob math o garolau i'w cael erbyn hyn mewn llawer o ieithoedd - carolau tebyg i'r hen garolau, rhai fel "O deuwch ffyddloniaid" a gafodd eu gwneud yn wreiddiol yn Lladin, carolau i gorau a charolau ysgafn. Ers talwm yng Nghymru byddai pobol yn codi'n gynnar iawn ar fore dydd Nadolig – tua 4 o'r gloch y bore, er mwyn mynd i ganu carolau yn y plygain. Roedd y carolau yn cael eu canu gan ddynion yn unig mewn capeli ac eglwysi a hynny yng ngolau cannwyll. Roedd carolau plygain yn rhai arbennig iawn oherwydd eu bod yn cael eu canu heb offeryn. Roedden nhw'n garolau hir iawn ond roedd y rhan fwyaf ohonyn nhw yn rhoi darlun o hanes Iesu Grist.

Mae na rai carolau sy'n fwy poblogaidd na'i gilydd ac sydd wedi cael eu canu ers llawer o flynyddoedd. Dyma hanes un garol enwog "Dawel Nos":

Un tro mewn pentref o'r enw Obendorf yn Awstria roedd na offeiriad o'r enw Joseph Mohr. Roedd o'n gofalu am eglwys fach yn y pentref. Roedd yr eglwys wrth ymyl afon fechan ac roedd lleithder a thamprwydd wedi rhydu rhannau o'r organ. Mae'n ymddangos hefyd fod llygoden fach wedi gwneud twll mewn rhannau o'r organ ac ni fedrai'r organydd Franz Gruber chwarae dim ar yr offeryn.

Noson cyn y Nadolig yn 1818 fe ysgrifennodd Joseph Mohr eiriau *"Silent Night, Holy Night."* Rhoddodd y geiriau i Franz Gruber er mwyn iddo fo drefnu'r miwsig iddyn nhw. Y noson honno fe ganodd y ddau y garol newydd a defnyddio gitâr yn lle organ.

Ymhen ychydig o fisoedd wedyn daeth dyn i drwsio'r organ ac wrth wneud fe welodd gopi o'r garol. Aeth â'r garol efo fo a lle bynnag yr âi i drwsio organ, byddai pobol yn dysgu ei chanu. Erbyn heddiw mae *"Silent Night"*, neu "Dawel Nos" yn cael ei chanu mewn gwahanol ieithoedd trwy'r byd i gyd.

(Gellir chwarae Tâp neu C Dd : "Dawel Nos")

Gweddi:
Diolchwn i Ti O Dduw am y ddawn a roddaist i gyfansoddwyr i lunio amrywiaeth o garolau i ni. Rho fwynhad i ni wrth i ni eu canu adeg y Nadolig.

Amen

Y Preseb

(Angen model o stabl, Mair a Joseff a'r Baban Iesu a.y.y.b.)

Tua 800 o flynyddoedd yn ôl roedd na fynach o'r enw Ffransis yn byw yn yr Eidal. Roedd Ffransis wedi bod yn gweld y man lle cafodd Iesu Grist ei eni. Un diwrnod pan oedd yn cerdded mewn coedwig uwchben Assisi, fe welodd ogof a oedd yn ei atgoffa o'r ogof a welodd ym Methlehem. Yna cafodd syniad. Beth am wneud yr ogof hon yn debyg i'r stabl lle ganwyd Iesu Grist.

Gofynnodd i rai o'i ffrindiau ei helpu. Cafodd fenthyg preseb a gwair a chafodd un o'i ffrindiau fenthyg asyn ac ych. Cyn bo hir roedd pawb yn y pentref wedi clywed am ogof Ffransis, ac yn edrych ymlaen i fynd i wasanaeth arbennig yno am hanner nos cyn dydd Nadolig. Y noson honno cerddodd cannoedd yn y tywyllwch i fyny at yr ogof. Roedden nhw'n cario golau mewn lantern ac yn canu carolau.

Clywodd amryw am y gwasanaeth hwn ac ar ôl hynny roedd pobol ymhob man yn rhoi model o stabl mewn eglwysi. Dyma ein model ni yn dangos y stabl, Mair a Joseff, y Baban Iesu a'r anifeiliaid.

Gweddi:
>Pan roddodd Duw ei Fab i ni
>I drigo yn ein byd,
>Fe'i ganwyd yn y stabl tlawd
>A phreseb oedd ei grud.
>
>Amen

Coeden Nadolig

Llawer o flynyddoedd yn ôl roedd na dorrwr coed a'i deulu yn byw mewn caban pren mewn coedwig yn Awstria. Un noson roedd na storm ddifrifol. Roedd y gwynt yn chwythu o gwmpas y caban ac roedd yr eira yn lluwchio yn erbyn y drysau a'r waliau. Teimlai'r teulu yn ddiogel yn swatio o flaen y tân. Yn sydyn dyma nhw'n clywed sŵn plentyn yn crio tu allan i'r drws, a phwy oedd yno ond bachgen bach yn crynu yn yr oerni. Roedd pawb yn pitïo drosto. Rhoesant fowlen o gawl a dillad cynnes iddo.

Hans oedd enw mab y torrwr coed. Symudodd o'i wely wrth ymyl y tân a gadael i'r bachgen gysgu ynddo. Cysgodd Hans ar y llawr. Yng nghornel yr ystafell roedd Mam Hans wedi gosod canghennau bytholwyrdd i addurno'r caban. Roedd hi wedi rhoi un afal ar y goeden a gwyddai Hans mai hwn oedd yr afal olaf o'r storws. Rhoddodd Hans yr afal i'r bachgen dieithr.

Deffrodd Hans yn gynnar yn y bore. Roedd y storm wedi peidio ac roedd yr haul yn tywynnu'n gynnes. Doedd y bachgen ddim yn y gwely. Rhedodd Hans allan i chwilio amdano. Yna gwelodd ef yn cerdded tua'r tŷ ac roedd yn cario cangen. Roedd na gymaint o afalau arni fel ei bod yn plygu drosodd. Rhoddodd y bachgen y gangen i Hans a dywedodd wrtho, "Neithiwr roeddwn i'n oer ac eisiau bwyd ac mi roddaist ti bob dim i mi. Cadw'r gangen hon yn ofalus. Mi fydd anrhegion o afalau arni hi am byth i ddiolch i ti am helpu bachgen dieithr."

Welodd Hans ddim mo'r bachgen byth wedyn ond roedd o a'i deulu yn meddwl mai'r bachgen Crist oedd o. Dyna pam ers hynny mae pawb yn rhoi coeden Nadolig yn eu tai ac yn ei haddurno at yr Ŵyl. Ni fyddwn yn rhoi afalau arni hi ond peli bach gwydr, sy'n edrych yn debyg iawn i afalau.

Gweddi:
Wrth addurno ein coeden at y Nadolig, O Dduw, gwna i ni sylweddoli beth yw arwyddocâd rhai o'r addurniadau, y seren i'n hatgoffa am Seren Bethlehem, yr angel i'n hatgoffa am y bugeiliaid, yr anrhegion i'n hatgoffa am y Doethion, a'r peli bach gwydr i'n hatgoffa am Stori'r Goeden Nadolig a geni'r Baban Iesu.

Amen

Rhosyn y Nadolig

Pan anwyd Iesu Grist, y rhai cyntaf a aeth i'w weld oedd bugeiliaid a oedd yn gwylio eu defaid ar y bryn wrth ymyl. Merch un o'r bugeiliaid oedd Naomi. Roedd hi wrth ei bodd pan glywodd hi am y digwyddiadau a oedd newydd fod ac roedd hi eisiau mynd i weld y baban newydd. Roedd pawb wedi ceisio cael anrheg iddo. Rhoddodd y bugeiliaid wlân cynnes iddo. Rhoddodd y doethion anrhegion drud iddo ond doedd ganddi hi ddim i'w roi.

Gwyddai Naomi nad oedd blodau'r Gwanwyn wedi tyfu eto. Roedd ychydig o eira ar y caeau ond aeth i chwilio o amgylch y gwrychoedd i weld beth oedd yn tyfu yno. Ar ôl chwilio trwy'r dydd ni welodd un blodyn. Roedd hi'n siomedig iawn. Aeth at ymyl y stabl gyda'r bwriad o sbecian wrth y drws i gael gweld y baban newydd. Roedd hi'n dechrau nosi. Yn y tywyllwch gwelodd Naomi dusw o flodau gwyn. Lle bynnag roedd ei thraed hi wedi bod, roedd na flodyn gwyn yn tyfu. Casglodd y blodau yn ofalus ac aeth â'r tusw i'r Baban Iesu. Teimlai'n hapus iawn o gael rhoi anrheg.

Bob gaeaf ers hynny mae'r blodau gwyn hyn yn tyfu at y Nadolig. Tu fewn i'r petalau gwyn mae na gylch o stamen aur sy'n edrych yn union fel coron. Mae'r blodyn erbyn heddiw yn cael ei alw yn "Rhosyn y Nadolig."

Gweddi:
Diolch am wyrth y Rhosyn Nadolig oherwydd ychydig iawn o flodau sydd yn ein gerddi adeg y Nadolig. Mae prydferthwch natur hyd yn oed yng nghanol y Gaeaf yn dangos i ni mor rhyfeddol wyt Ti.

Amen

Yr Angel

Fedrwch chi ddweud beth yw'r cysylltiad rhwng y pethau hyn? – ffôn symudol, llythyr, cyfeiriad e-bost, llun o loeren, radio, teledu? Mae modd gyrru neges efo pob un o'r rhain.

Dros ddwy fil o flynyddoedd yn ôl roedd pobol yn credu eu bod yn gweld angylion. Os edrychwch chi ar y map yma o'r ardal sydd heddiw yn cael ei galw'n wlad Canaan, fe welwch chi lle mae Galilea, Samaria a Jwdea. Yn Galilea roedd na ddau o'r enw Joseff a Mair yn byw mewn pentref o'r enw Nasareth. Saer oedd Joseff. Roedd gan Mair gyfnither o'r enw Elisabeth a oedd yn byw yn Jwdea.

Ryw ddiwrnod fe wnaeth angel o'r enw Gabriel ymddangos i Elisabeth a dweud wrthi hi y byddai hi'n cael babi bach, mai Ioan fyddai ei enw, ac mai fo ar ôl tyfu'n ddyn a fyddai'n mynd o amgylch y wlad i ddweud wrth bobol am Iesu Grist.

Aeth yr angel at Mair hefyd a dweud wrthi hi y byddai hithau hefyd yn cael bachgen bach, a'i enw fyddai Iesu, ac y byddai'n Frenin ryw ddiwrnod. Aeth yr Angel wedyn at Joseff a dweud y newydd da wrtho – fod y baban Iesu yn mynd i fod yn faban arbennig iawn.

Mae na rai pobol heddiw sy'n credu eu bod wedi gweld angel a bod yr angel wedi rhoi neges iddyn nhw. Mae Duw yn meddwl am ffyrdd rhyfedd i roi neges i bobol. Mae rhai pobol yn gweddïo ar Dduw a'r unig ffordd mae nhw'n cael ateb ydi bod yn ddistaw a gwrando. Mae'n rhaid i rywun wrando am neges ond tydi'r neges ddim yn glywadwy ond fe ddaw mewn tawelwch.

Gweddi:
O Dduw, ambell dro nid wyf yn gwybod sut i weddïo, ond gwn dy fod yn gallu darllen fy meddwl wrth i mi fod yn ddistaw yn dy gwmni a gwrando.

Amen

Y Daith i Fethlehem

Bob deng mlynedd bydd cyfrifiad yn cael ei wneud yng Nghymru er mwyn cyfri faint o bobol sy'n byw yn y wlad. Roedd cyfrifiad tebyg yng ngwlad Canaan ond roedd yn rhaid i bawb fynd yn ôl i'r dref lle y ganwyd hwy.

Roedd yn rhaid i Joseff a Mair felly deithio 90 o filltiroedd o Nasareth i Fethlehem – siwrne a fyddai'n cymryd tua 5 diwrnod. Eisteddai Mair ar gefn mul a cherddai Joseff wrth ei hochr. Roedd yn daith flinedig i'r ddau, yn enwedig Mair, oherwydd roedd hi'n disgwyl babi.

Ar ôl cyrraedd Bethlehem roedd y ddau angen lle i aros am noson ond roedd pob llety yn llawn. O'r diwedd cafodd Joseff ganiatâd gan un perchennog i aros mewn stabal wrth ymyl y llety. Roedd na anifeiliaid yn gorffwys yno hefyd – asyn, ych ac ambell ddafad.

Noson braf oedd hi'r noson honno. Roedd yr awyr yn glir a'r sêr yn disgleirio. Yno yn y stabl y ganwyd y Baban Iesu. Rhoddodd Mair ef i orwedd yn y gwair a oedd yn y preseb. Bu Joseff a hithau yn gofalu amdano'n dyner.

(*Gellir canu neu wrando ar "I orwedd mewn preseb".*)

Gweddi:
Diolch i Ti O Dduw am y noson arbennig honno ym Methlehem pan anwyd Iesu Grist mewn preseb tlawd dan olau'r sêr ac yn nhawelwch y nos. Gwna i ni gofio mai dyma wir ystyr y Nadolig.

Amen

Y Bugeiliaid

I fyny ar y bryniau uwchben Bethlehem roedd na fugeiliaid yn gofalu am eu defaid. Eisteddai pawb o amgylch y tân yn sgwrsio am ddigwyddiadau'r diwrnod. Bu'n ddiwrnod prysur iawn oherwydd roedd pob llety a oedd ym Methlehem yn llawn. Roedd hi'n noson glir a'r sêr yn disgleirio. Fesul un ac un aeth goleuadau'r tai a'r gwestai allan. Cyn bo hir syrthiodd rhyw dawelwch rhyfedd ar y bryn lle roedd y bugeiliaid.

Yn sydyn daeth rhyw olau i oleuo'r awyr. Doedd y bugeiliaid erioed wedi gweld golau fel hyn o'r blaen ac roedden nhw wedi dychryn. Yna gwelsant angel yn ymddangos allan o'r golau. "Peidiwch â bod ofn", meddai'r angel, "mae gen i newyddion da i chi a bydd pawb yn llawen. Heddiw yn Ninas Dafydd fe anwyd Crist yr Arglwydd. Fe welwch chi'r Baban yn gorwedd mewn preseb, wedi ei wisgo mewn cadachau." Ac wedyn roedd na fwy o angylion yn moli Duw.

Ar ôl i'r angylion eu gadael, dywedodd y bugeiliaid, "Beth am fynd i chwilio am y baban bach?" Aethant i lawr o'r bryniau at ddinas Bethlehem a gweld y Baban Iesu yn y stabl efo Mair a Joseff a'r anifeiliaid. Aeth pob bugail ar ei liniau o flaen y Baban. Gwyddai'r bugeiliaid eu bod wedi gweld rhywbeth arbennig iawn y noson honno.

Gweddi:
Dysg ni O Duw i ddeall mai'r weithred o roi anrhegion sydd yn bwysig adeg y Nadolig ac nid eu gwerth ariannol. Pobl dlawd oedd y bugeiliaid ac efallai nad oedd ganddyn nhw anrheg drud i'w roi i'r Baban, ond fe wnaeth pob bugail benlinio o'i flaen a'i addoli. Hwnnw oedd yr anrheg gorau.

Amen

Y Doethion

(Cyfarpar Gweld: a)   *rhywbeth wedi ei wneud allan o aur e.e.*
modrwy
            b)   *'Joss Stick' (yn arogli o thus)*
            c)   *Twb o eli)*

Pan anwyd Iesu Grist dros 2 fil o flynyddoedd yn ôl, roedd pethau'n wahanol iawn i sut mae nhw heddiw. Doedd na ddim offer i weld y sêr, dim lloeren a doedd neb wedi glanio ar y lleuad. Ond mi roedd na wyddonwyr a oedd yn astudio'r sêr ac yn eu dilyn. Roedden nhw hefyd yn gallu gweld a oedd na seren newydd wedi ymddangos. Pobol felly oedd y Doethion, neu'r tri Brenin fel y byddwn yn eu galw ambell dro. Roedden nhw wedi sylwi fod na seren newydd yn yr awyr ac roedden nhw'n gwybod fod Duw wedi proffwydo y byddai Brenin newydd yn cael ei eni ryw ddiwrnod. Felly dyma nhw'n dilyn y seren.

Dynion cyfoethog iawn oedd y Doethion. Eu henwau oedd Caspar, Melchior a Belthasar. Teithient nifer o filltiroedd ar gefn camelod am mai camelod oedd yr anifeiliaid gorau i deithio dros yr anialwch. Pan arweiniodd y seren nhw at y stabl ym Methlehem, aeth y tri ar eu gliniau o flaen y Baban Iesu a rhoi anrhegion drud iddo, aur, thus a myrr.

Dyma i chi rywbeth wedi ei wneud allan o aur (a). Mae aur yn ddrud iawn i'w brynu. Fel arfer os ydi rhywun eisiau rhoi anrheg i Frenin, mi fyddan nhw'n rhoi aur, neu rywbeth wedi ei wneud allan o aur.

Os gwna i oleuo hwn (b) mae'r mwg sy'n dod ohono yn arogli fel thus. Resin sydd i'w gael ar goed yn Arabia ac Affrica yw thus a bydd yn cael ei losgi mewn temlau ac eglwysi pan fydd pobol mewn gwasanaeth yn addoli Duw. Felly roedd y Doethion yn dod â thus i'r Baban Iesu fel arwydd eu bod yno i'w addoli fel Brenin.

Eli ydi hwn (c). Mae'n gwneud eich croen yn esmwyth. Ers talwm roedd na eli o'r enw myrr. Rhyw fath o resin yw myrr hefyd. Mae'n tyfu ar lwyni neu goed bach ac roedd yn cael ei ddefnyddio i wneud eli ag arogl da arno. Roedd y myrr yn cael ei rwbio ar y croen ac mae'n debyg ei fod o'n eli drud iawn.

Roedd Mair a Joseff yn ddiolchgar iawn i'r doethion oherwydd roeddan nhw'n gwybod fod Iesu wedi derbyn anrhegion drud iawn gan ei ymwelwyr.

Gweddi:
Dy rodd Di i ni O Dduw oedd Iesu Grist. Rhoddodd y Doethion anrhegion drud Iddo. Rhoddwn ninnau anrheg gwerthfawr yn ôl sef ein cariad iddo. Derbyn dithau hefyd ein cariad ni a dysg ni i garu eraill yn well.

Amen

Chwedl y Pry Copyn

Cyn i'r Doethion ymweld â'r Baban Iesu roedden nhw wedi galw i weld Herod, Brenin Jwdea i holi lle roedd y Baban wedi ei eni. Yr adeg honno, am nad oedd Herod ei hun yn gwybod, gofynnodd i'r Doethion ddod yn ôl ato os oedden nhw wedi llwyddo i weld y Baban er mwyn iddo fo ymweld hefyd. Ond ar ôl i'r Doethion weld yr Iesu yn y stabl fe ymddangosodd angel eto a'u cynghori i fynd yn ôl ar hyd ffordd wahanol, a pheidio â mynd yn ôl at Herod. Ymddangosodd yr angel i Mair a Joseff hefyd a dweud wrthyn nhw am ffoi rhag Herod.

Mae'r storïau a gawsom am eni Iesu Grist ym Methlehem yn storïau gwir oherwydd gellir eu darllen yn y Beibl. Dyma stori arall am y Baban Iesu a Herod, ond chwedl ydi hon. Efallai ei bod yn wir, efallai ddim. Pwy a ŵyr!

Roedd Mair a Joseff wedi gadael Bethlehem rhag ofn i'r Brenin Herod ddarganfod lle roedd y Baban Iesu wedi ei eni. Roedd hi'n noson ddifrifol o oer. Roedd y ddau wedi blino ar ôl teithio'n bell ac roedden nhw angen noson o gwsg cyn teithio ymhellach. Gwelodd Joseff ogof fechan ac aethant i mewn i'r ogof er mwyn cael cyfle i gynhesu a gorffwys. Roedd hi'n ddifrifol o oer allan, mor oer nes roedd hyd yn oed canghennau'r coed o amgylch wedi eu gorchuddio efo rhew.

Wrth ymyl ceg yr ogof roedd na bry copyn bach wedi eu gwylio'n mynd i mewn i'r ogof. Roedd o eisiau cadw'r Baban Iesu'n gynnes dros y nos. Felly, dyma fo'n nyddu gwe anferth ar draws ceg yr ogof. Bron nad oedd y we yn edrych fel llenni, yn enwedig ar ôl i'r rhew ddisgyn arni.

Yn sydyn daeth rhai o filwyr Herod heibio. "Beth am chwilio yn yr ogof?" meddai un. "Na", meddai milwr arall. "Edrychwch ar y we pry cop 'na ar draws ceg yr ogof. Pe bae rhywun wedi mynd heibio'r we yna, mi fydden nhw wedi ei thorri." Aeth y milwyr heibio a gadael llonydd i'r teulu bach yn yr ogof – diolch i'r pry copyn. Y bore wedyn fe gychwynnodd Mair a Joseff ar eu taith eto, heb wybod fod milwyr Herod wedi bod mor agos atyn nhw y noson gynt.

Efallai mai dyna pam yr ydan ni'n rhoi tinsel ar y goeden Nadolig bob blwyddyn – i'n hatgoffa ni am y pry copyn!

Gweddi:
Diolchwn i Ti O Dduw am yr holl chwedlau sydd wedi cael eu hysgrifennu am y Nadolig. Diolchwn hefyd am garolau, barddoniaeth a chaneuon pop y

Nadolig, dramâu ar lwyfan a chomedïau Nadolig ar y teledu. Y mae pob un o'r rhain yn ein hatgoffa am bwysigrwydd yr Ŵyl.

Amen

Y Nadolig

Seren

a thinsel

anrhegion di-ri,

siocled a pheli bach aur –

mwy o gyfoeth na welodd erioed

y Baban di-nam yn y gwair.

Blwyddyn Newydd

Pwy sy'n gwybod pa fis ydi'r mis hwn? Ionawr yn Gymraeg a January yn Saesneg. Mae llawer o'r misoedd wedi cael eu henwau o fytholeg Rhufain. Rhufain ers talwm oedd y wlad rydan ni'n ei galw yn Eidal.

Roedd y Rhufeiniaid yn addoli llawer o dduwiau gwahanol. Un ohonyn nhw oedd Janus, duw drysau a giatiau. Pan ydach chi'n mynd trwy ddrws neu giât mi rydach chi'n gadael un lle ar ôl ac yn mynd i le newydd. Dyna pam roedd Janus hefyd yn dduw dechreuad newydd. Mae lluniau ohono yn dangos fod ganddo ddau wyneb, un yn edrych yn ôl a'r llall yn edrych ymlaen.

Fe wnaeth y Rhufeiniaid ddysgu cryn dipyn i ni pan ddaethon nhw i'n gwlad ni gannoedd o flynyddoedd yn ôl. Y Rhufeiniaid a ddysgodd ein pobol ni sut i adeiladu ffyrdd, sut i adnabod amser, sut hyd yn oed i gynllunio gwres canolog.

Os gwelwch chi Amgueddfa debyg i Segontiwm yng Ngogledd Cymru a Chaerleon yn Ne Cymru, cofiwch fynd yno – efallai y gwelwch chi lun o Janus yno.

Gweddi:
Diolch i Ti O Dduw am flwyddyn newydd. Dysg ni i edrych yn ôl dros yr hen flwyddyn fel y gwnaeth Janus, i adnabod ein gwendidau, ac wedyn i edrych ymlaen at y flwyddyn newydd sydd o'n blaen, a cheisio byw yn well.

Amen

Tymhorau

Wrth ddysgu am fywyd y llyffant byddwn yn sôn am ei gylch fywyd oherwydd fod un cyfnod yn arwain at y nesaf – er enghraifft, mae'r llyffant yn dodwy wyau, mae'r wyau yn deor yn benbyliaid, mae'r penbyliaid yn tyfu yn llyffantod. Wedyn mae'r cylch yn cychwyn eto ac felly'n union y mae'r tymhorau, - pob tymor yn arwain at y nesaf a'r pedwar tymor yn ffurfio cylch o flwyddyn i flwyddyn.

Mae na bedwar tymor mewn blwyddyn. (Gellir cael cwestiwn ac ateb)
Faint o fisoedd sydd mewn blwyddyn?
Sawl mis felly sydd mewn tymor? A.y.y.b.

Y Gaeaf
Pa fath o dywydd a gawn ni fel arfer yn y gaeaf?
Pa amser o'r dydd fydd hi'n dechrau nosi?
Pa ddiwrnod ydi'r diwrnod byrraf o'r flwyddyn?
Faint o flodau welwch chi yn y wlad a'r gerddi?   Pam cyn lleied?
Sut mae'r coed yn edrych?
Ydi pob coeden wedi colli ei dail?

Y Gwanwyn
Beth fyddwn ni'n ei weld yn y Gwanwyn?
Pa fath o dywydd fyddwn ni'n ei gael o'i gymharu â'r Gaeaf?
Beth sy'n digwydd ar y coed?
Beth sy'n digwydd ar y ffermydd? (Bywyd newydd, Hau'r had yn y caeau)

Yr Haf
Beth fyddwn ni'n ei wneud yn yr haf?
Pa amser o'r dydd fydd hi'n nosi yn yr haf?
Pa ddiwrnod ydi'r diwrnod hira' o'r flwyddyn?
Ydach chi wedi sylwi fod yr haul yn uchel yn yr awyr amser cinio?
Faint o flodau sydd yn y gerddi a'r parc?

Yr Hydref
Beth sy'n digwydd i'r coed yn yr Hydref?
Beth fydd yn digwydd ar y ffermydd?
Beth fydd anifeiliaid yn ei wneud yn ystod yr Hydref?

A dyna gylch y flwyddyn:
Gaeaf, Gwanwyn, Haf, Hydref, Gaeaf, Gwanwyn, Haf, Hydref, ac os

meddyliwch chi, fedrwch chi ddim cael Gwanwyn heb gael y Gaeaf. Fedrwch chi ddim cael blodau'r Haf heb hau hadau yn y Gwanwyn, ac ar ôl gwres yr haul yn yr Haf, mae'n rhaid i'r dail newid eu lliw a marw yn yr Hydref cyn i'r Gaeaf oer ddod unwaith eto.

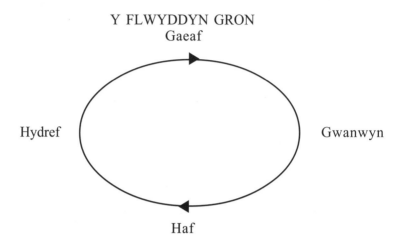

Y FLWYDDYN GRON

Gweddi:
Diolch i Ti O Dad am y pedwar tymor sydd yn gwneud ein blwyddyn. Yn y Gaeaf byddwn yn ysu am y Gwanwyn a'r Haf er mwyn i ni, pan ddaw'r dyddiau hir, gael bod allan yn chwarae. Mae pob tymor mor wahanol. Am hynny rydym yn synnu at wyrth dy Greadigaeth.

Amen

Cadw'n Gynnes

Fel arfer mae'r tywydd yn oer yn y Gaeaf. Mae'n bosib cael glaw am ddyddiau. Dyma'r adeg o'r flwyddyn y byddwn fel arfer yn cael rhew ac eira. Gall rhew fod yn beryglus iawn yn enwedig i bobl mewn oed a gyrwyr moduron. Os ydi hi wedi bod yn bwrw eira, mi fedrwch chi gael oriau o hwyl yn sglefrio, taflu peli eira a gwneud dyn eira, ond os nad ydach chi wedi gwisgo dillad addas fe allwch chi gael llosg eira. Yr adeg honno bydd yr oerni wedi effeithio ar eich dwylo a'ch traed. Ambell dro bydd eich bysedd a bodiau eich traed wedi chwyddo ac yn teimlo'n boeth, boeth. Mae'n bwysig felly eich bod chi'n gwisgo dillad cynnes wrth fynd allan i chwarae yn yr eira neu'r tywydd oer.

2 neu 3 o blant wedi eu gwisgo mewn dillad addas at y Gaeaf:
Trowsus hir,
Sgidiau glaw rwber neu blastig
Cap
Sgarff
Menig
Côt dew gynnes

(*Gellir trafod ac adolygu enwau'r dillad, yn enwedig efo'r plant lleiaf a rhai sy'n dysgu Cymraeg fel ail iaith. Gellir hefyd drafod lliwiau.*)

(*Gall y plant lunio a darllen ychydig o frawddegau ynglŷn â'r gaeaf, y tywydd (cenllysg, eira, rhew) neu am eu profiad yn gwneud dyn eira.*)

Gweddi:
Am ddillad i'n cadw'n gynnes yn y Gaeaf.   *Diolch i Ti;*
Am ddefaid y mynydd sy'n rhoi gwlân i ni,   *Diolch i Ti;*
Am bawb sydd yn gwneud dillad mewn ffatrïoedd,   *Diolch i Ti;*
Am bawb sydd yn gwerthu dillad mewn siopau,   *Diolch i Ti;*
Am yr hwyl a gawn yn chwarae yn yr eira,   *Diolch i Ti.*

Amen

Bwydo Adar

Dyma'r adeg o'r flwyddyn y bydd adar yn dod i'ch gardd gan obeithio y byddwch wedi rhoi ychydig o gnau neu friwsion ar eu cyfer. Mae llawer o adar yn bwyta pryfaid genwair, malwod a phryfaid. Mae adar eraill yn bwyta hadau, ond pan fydd hi'n wyntog ac oer yn y gaeaf, aeron yn unig a fydd ar y llwyni. Bydd y pryfaid genwair wedi tyllu'n isel yn y pridd. Bydd y malwod a'r pryfaid wedi mynd i guddio a chysgodi rhag y gwyntoedd oer.

Bydd yr adar felly yn dibynnu ar bobol fel chi a fi i gael bwyd – felly bwydwch nhw yn y gaeaf, yn enwedig pan fydd y tymheredd yn isel a rhew neu eira ar lawr. Gallwch brynu pob math o fwyd ar gyfer adar gwyllt. Mae i'w gael mewn archfarchnad neu rai siopau bach neu gellir ei archebu gan yr RSPB.

Cofiwch roi'r bwyd os medrwch chi allan o gyrraedd cathod. Peidiwch byth â rhoi cnau cyfan i adar. Fe allan nhw dagu arnyn nhw – yn enwedig yr adar bach. A chofiwch hefyd roi diod o ddŵr i'r adar yn enwedig os ydi llynnoedd a phyllau o gwmpas wedi rhewi.

Os hoffech chi wneud bwyd cartref i'r adar bach, dyma i chi rysêt syml:

Teisen Gnau

Toddwch lond cwpan o saim neu lard (YN OFALUS!) ac ychwanegwch gnau, resins a briwsion bara. Pan fydd y gymysgedd wedi oeri ychydig, tywalltwch o i mewn i hen bot iogyrt neu i hanner cneuen coco. Rhowch o wedyn mewn oergell er mwyn iddo galedu yn iawn cyn ei roi ar goeden neu bolyn uchel yn eich gardd.

Gweddi:
Helpa ni O Dduw i gofio am yr adar pan fydd y tywydd yn oer. Maent yn rhan o dy greadigaeth Di a dylem ofalu amdanynt.

Amen

Gellir darllen casgliad o farddoniaeth yn ymwneud â'r Gaeaf.

Gweddi:
Diolchwn i Ti O Dduw am yr holl farddoniaeth sydd wedi cael ei hysgrifennu dros y blynyddoedd, a diolch am y beirdd a'i lluniodd.

Amen

Cyflwyno yn y deml

Wyth niwrnod ar ôl i Iesu Grist gael ei eni yn Nasareth, teithiodd Joseff a Mair i ddinas Jerwsalem i gyflwyno eu babi newydd yn y deml. Arferiad oedd hyn bob tro yr oedd rhywun yn cael babi newydd yn y teulu.

Adeilad pwysig iawn oedd y Deml. Adeilad mawr iawn wedi ei addurno efo llenni lliwgar a drud. Roedd llawer o bobol yn gweithio yno – offeiriaid, cerddorion, trysorwyr, sef pobol a oedd yn trin arian. Roedd yno bobol hefyd a oedd yn aberthu anifeiliaid. Defod oedd aberthu o ladd anifail a'i roi yn ôl i Dduw fel arwydd o fod yn ddiolchgar am ei garedigrwydd.

Pwrpas mynd i'r Deml yn Jerwsalem oedd cyflwyno'r Iesu i Dduw a rhoi diolch i Dduw am fab newydd. I gychwyn roedd yn rhaid i Joseff brynu dwy golomen ac wedyn rhoddodd Mair y colomennod i gael eu haberthu yn ôl yr arferiad.

Ar ôl mynd i mewn i'r Deml daeth hen ddyn o'r enw Simeon at Joseff a Mair a chymerodd y Baban Iesu yn ei freichiau. Roedd Simeon wedi clywed fod Iesu yn mynd i fod yn Frenin arbennig iawn ac roedd o wrth ei fodd ei fod wedi gweld y babi o'r diwedd. Rhoddodd ddiolch i Dduw a dywedodd ei fod rwan yn barod i farw ar ôl cael gweld hyn.

Dyma oedd ei eiriau, - geiriau sy'n parhau i gael eu canu bob Sul ers hynny mewn llawer o eglwysi.

"Yn awr yr wyt yn gollwng dy was yn rhydd, O Arglwydd, mewn tangnefedd yn unol â'th air;
oherwydd y mae fy llygaid wedi gweld dy iachawdwriaeth,
a ddarperaist yng ngwydd yr holl bobloedd:
goleuni i fod yn ddatguddiad i'r Cenhedloedd ac yn ogoniant i'th bobl Is-rael."

Gweddi:
Diolchwn i Ti O Dduw am ddiwrnod newydd. Mewn llawer gwlad heddiw bydd cannoedd os nad miloedd o fabanod yn cael eu geni mewn cartrefi neu mewn ysbytai. Fel yr oedd Mair a Joseff yn diolch i Ti am y Baban Iesu, felly yr ydym ninnau'n cyflwyno i Ti y babanod fydd yn cael eu geni heddiw i'th fyd.

Amen

Ffoi i'r Aifft

Dyn creulon iawn oedd y Brenin Herod. Roedd o wedi disgwyl i'r Doethion fynd yn ôl i'w balas ar ôl iddyn nhw weld y Baban Iesu a dweud wrtho lle yn union yr oedd y Baban wedi cael ei eni. Os cofiwch chi fe wnaeth angel rybuddio'r doethion i fynd yn ôl ar hyd ffordd wahanol.

Ar ôl i Herod glywed fod y Doethion wedi ei dwyllo, gwylltiodd a phenderfynodd ladd pob bachgen a oedd newydd ei eni ym mhob rhan o'i wlad. Ymddangosodd yr angel i Joseff hefyd a'i rybuddio am hyn. Dyna pam yn ystod y nos y gwnaeth Joseff, Mair a'r Baban Iesu adael Bethlehem a theithio i'r Aifft.

Bu Joseff, Mair a'r Iesu yn byw yn yr Aifft am tua 4 blynedd. Mae'n debyg mai oherwydd fod Joseff yn saer coed y cafodd o ddigon o waith yno. Ar ôl i'r Brenin Herod farw, gwelodd Joseff yr angel unwaith eto, mewn breuddwyd. Dywedodd yr angel wrtho am adael yr Aifft a mynd yn ôl adref. Felly teithiodd Joseff, Mair a'r Iesu yn ôl i Galilea ac i dref Nasareth.

Gweddi:
Gwna fi'n addfwyn Arglwydd Iesu at bobl eraill;
Gwna fi'n gryf os ydi rhywun yn fy mhryfocio;
Gwna fi'n ddewr pan fyddai'n ofnus.

Amen

Bywyd yn y Cartref

Ar ôl dod yn ôl o'r Aifft aeth Joseff a Mair a'r Iesu i fyw i Nasareth. Saer coed oedd Joseff. Efallai ei fod wedi dysgu ei grefft gan ei dad a'i daid. Yr adeg honno byddai saer coed yn gwneud dodrefn, offer ar gyfer ffarmio, drysau a fframiau ffenestri. Efallai wrth dyfu i fyny fod Iesu wedi dysgu ychydig o sgiliau saer coed.

Gwaith dyddiol Mair oedd mynd i gael dŵr o'r ffynnon, gwneud blawd a chrasu bara, glanhau'r tŷ a gwnïo dillad i Joseff a'r Iesu. Doedd neb yn gweithio o nos Wener tan nos Sadwrn oherwydd hwnnw oedd diwrnod y Sabath – diwrnod i weddïo, gorffwys a bod efo'r teulu.

Pan oedd Iesu Grist yn 5 oed, dechreuodd fynd i'r ysgol. Dim ond bechgyn fyddai'n mynd i'r ysgol. Roedd yn rhaid i'r genethod aros gartref a dysgu sut i wnïo a gwneud gwaith tŷ. Roedd yr athro yn yr ysgol yn dysgu'r bechgyn sut i sgwennu. Byddai'n sgwennu yn y tywod a byddai'r bechgyn yn copïo'r llythrennau. Hebraeg oedd yr iaith. Ar ôl dysgu'r llythrennau roedd Iesu Grist a'i ffrindiau wedyn yn dysgu sut i ddarllen. Dim ond un llyfr darllen oedd i'w gael a'i enw oedd y Torah. Wrth ddarllen y Torah roedd y plant yn dysgu sut i fyw yn dda.

Gadawodd Iesu yr ysgol pan oedd yn ddeunaw oed ond roedd yn parhau i fynd i'r synagog i gael darllen a dysgu. Ar ôl gadael yr ysgol byddai pawb yn dewis gyrfa arbennig. Byddai rhai yn gwylio ac astudio'r sêr, rhai yn ysgrifennu, rhai yn mynd yn feddygon, rhai yn trin arian a chasglu trethi, a rhai fel Iesu Grist yn mynd o amgylch yn dysgu pobol am Dduw.

Gweddi:
Heddiw yn ein hysgol ni bydd pawb yn brysur yn gwneud gwahanol weithgareddau. Rydan ni'n lwcus fod gennym ddigon o adnoddau,- llyfrau, pensiliau, offer rhifo, paent a phapur. Cofiwn heddiw am blant bach sydd heb ysgol yn y pentrefi lle mae nhw'n byw, oherwydd tlodi.

Amen

Yn y Deml

Ydach chi wedi mynd ar goll rywdro? Mae'n deimlad difrifol. Mae'r sefyllfa yr un mor ddychrynllyd os ydi rhieni yn gweld fod eu plant wedi mynd ar goll.

Pan oedd Iesu Grist yn 12 oed fe aeth efo Mair a Joseff i ddinas Jerwsalem oherwydd fod pawb yn mynd yno i ddathlu Gŵyl y Pasg. Roedd tyrfa fawr yn teithio i'r ddinas o bob cyfeiriad – rhai ohonyn nhw yn teithio am ddyddiau er mwyn bod yn bresennol yn y dathlu. Hwn oedd y tro cyntaf i'r Iesu gael mynd efo'i rieni ac felly roedd pob dim yn newydd iddo. Roedd pob math o bethau yn cael eu cynnal yn Jerwsalem, gweithgareddau yn y Deml a nifer o farchnadoedd yma ac acw. Mae'n debyg fod y teulu wedi pasio trwy ambell farchnad cyn mynd i ddangos y Deml i Iesu Grist. Yn y Deml roedd man arbennig i'r merched gyfarfod a man arbennig i'r dynion a'r bechgyn gyfarfod.

Ar ddiwedd yr Ŵyl roedd y tyrfaoedd mawr yn teithio adref unwaith eto. Ar ôl diwrnod o deithio, fe sylweddolodd Mair a Joseff nad oedd Iesu efo nhw. Roedd y ddau wedi dychryn oherwydd ei fod ar goll ac aethant yn ôl i Jerwsalem i chwilio amdano. Ar ôl cyrraedd y ddinas, aeth y ddau yn syth i'r Deml a dyna lle roedd o, yng nghanol dynion galluog a gwybodus. Roedd o'n eu holi ac yn trafod pethau pwysig efo nhw.

Aeth Mair ato. "Mae Joseff a finnau wedi bod yn chwilio ymhob man amdanat ti ac wedi poeni'n ofnadwy. Pam wnest ti roi pryder fel hyn i ni?" A dywedodd yr Iesu wrthyn nhw "Pam y buoch chi'n chwilio amdanaf? Oeddech chi ddim yn gwybod fod gen i waith i'w wneud yn nhŷ fy nhad?"

Doedd Mair a Joseff ddim yn deall hyn o gwbl. Aeth y tri yn ôl i Nasareth. Ar ôl hynny roedd Iesu yn fachgen ufudd a da, ond wnaeth Mair ddim anghofio y diwrnod hwnnw yn Jerwsalem pan aeth ei mab ar goll.

Gweddi:
Dysg ni O Dduw i barchu ein rhieni. Mae'n anghwrtais ateb yn ôl neu wylltio. Gwna i ni sylweddoli, wrth i ni dyfu i fyny, mor bwysig ydi helpu gartref a bod yn ufudd i'n rhieni.

Amen

Bedydd Iesu

Deuddeg oed oedd Iesu Grist pan aeth o ar goll yn Jerwsalem. Mae'r stori honno i'w chael yn y Beibl. Mae'r stori nesaf a gawn am Iesu Grist yn y Beibl yn sôn am yr adeg y cafodd ei fedyddio.

(Gellir trafod beth yw ystyr bedydd a phwy o'r plant sydd wedi cael eu bedyddio)

Ar ôl i Iesu Grist dyfu yn ddyn, roedd o un diwrnod yn cerdded ar lan yr afon Iorddonen pan welodd o ddyn o'r enw Ioan. Roedd y ddau ddyn yn perthyn i'w gilydd ac er nad oedden nhw wedi gweld ei gilydd ers amser, gwyddai Ioan mai Iesu Grist oedd y dyn hwn a oedd ar lan yr afon.

Ers blynyddoedd roedd Ioan wedi bod yn byw yn yr anialwch. Gwisgai wisg wedi ei gwneud o groen camel, a'i fwyd bob diwrnod oedd locustiaid a mêl gwyllt. Roedd wedi cael yr enw Ioan Fedyddiwr oherwydd ei fod yn mynd o amgylch y wlad yn bedyddio pobol. Ond wrth eu bedyddio roedd yn dweud wrth bawb fod 'na ddyn gwell na fo a fyddai'n mynd o amgylch yn pregethu fel ef ac yn bedyddio. Gwyddai Ioan fod Iesu Grist yn ddyn arbennig iawn ac roedd yn dweud yn aml "Dydw i ddim digon da i agor cria' ei sandalau."

Gofynnodd Iesu i Ioan ei fedyddio yn afon Iorddonen. Cytunodd Ioan. Cerddodd yr Iesu i ddyfnder yr afon ac ar ôl i Ioan ei drochi yn y dŵr fe'i bedyddiodd. Daeth yr Iesu allan o'r dŵr ac fel yr oedd yn cerdded at lan yr afon daeth colomen i hofran uwch ei ben a daeth llais o'r nefoedd yn dweud "Ti yw fy Mab, yr Anwylyd; ynot ti yr wyf yn ymhyfrydu."

O'r adeg hon ymlaen bu Iesu Grist yn brysur iawn yn pregethu a iachau pobol sâl. Mae'r Beibl yn llawn o hanes ei waith o'r adeg y cafodd ei fedyddio hyd at yr adeg y buodd o farw yn 33 oed.

Gweddi:
Mae fy nheulu yn bwysig i mi, Iesu. Diolch fod pob un yn bwysig i Ti hefyd. Diolch am roi i ni dy gariad.

Amen

Eglwys

Bob bore rydan ni'n dod at ein gilydd fel hyn i gael gwasanaeth byr,- stori, cân a gweddi. Ym mha adeilad arall yn y wlad hon ac mewn gwledydd eraill y cewch chi wasanaeth tebyg i'n gwasanaeth ni? (Capel, eglwys, synagog, teml, ysbyty, mosque a.y.y.b.)

Pe baech chi'n mynd trwy Gymru er mwyn cyfri faint o eglwysi a chapeli sydd i'w gweld, mi fuasech chi'n cyfri cannoedd – rhai wedi cael eu cau erbyn hyn ond y rhan fwyaf ohonyn nhw'n agored ar y Sul ac yn cael gwasanaethau er mwyn moli Duw.

(Lluniadu ychydig o siapiau ar daflunydd – cylch, triongl, sgwâr, croes a chanolbwyntio ar siâp y groes)

Pe bae chi'n hedfan uwchben llawer o eglwysi mi fyddech chi'n gweld fod amryw wedi cael eu hadeiladu ar siâp croes. Tŷ Duw ydi eglwys lle mae pobol yn addoli ac os edrychwch chi beth sydd mewn eglwys, mae nhw'n debyg iawn i beth sydd yn ein tai ni adref. Dyma i chi lun sy'n dangos beth sydd i'w gael mewn eglwys. Y peth cyntaf a welwch chi ydi bedyddfaen. Dyma lle mae babanod neu blant neu ambell dro pobol hŷn yn cael eu bedyddio. Pan ydach chi'n cael brawd neu chwaer mae nhw'n cael enw. Adeg bedydd mae'r babi yn cael ei alw yn ôl ei enw ac yn cael ei wneud yn un o deulu Duw.

Mae na seddau mewn eglwys, yn union fel mae na gadeiriau yn eich tŷ chi. Gall pobol eistedd yno'n ddistaw, neu os oes gwasanaeth gallant wrando ar storïau o'r Beibl neu wrando ar bregeth debyg i'r bregeth roedd Iesu Grist yn ei rhoi i'r bobol a ddeuai i wrando arno. Ymhob eglwys mae na allor lle mae'r llestri Cymun a'r bara a'r gwin yn cael eu rhoi. Y gwasanaeth Cymun sydd yn ein hatgoffa fod Iesu Grist wedi marw drosom. Mae'r allor yn debyg iawn i'r bwrdd bwyd yn eich tŷ chi, lle mae'r teulu i gyd yn dod at ei gilydd i fwyta.

Os cewch chi gyfle, ewch i mewn i eglwys er mwyn gweld pethau eraill diddorol. Mae pob eglwys yn wahanol. Mewn rhai eglwysi mae na ffenestri lliwgar – pob ffenestr yn dweud stori mewn lluniau. Mewn eglwysi eraill mae na gerrig beddi diddorol – rhai ohonyn nhw'n perthyn i bobol enwog Cymru. Ac os edrychwch chi ar gofrestri bedydd, priodasau ac angladdau fe gewch chi ddarlun clir iawn o hanes yr ardal a'r math o bobol a oedd yn byw ynddi hi ers talwm.

Cofiwch wrth fynd i mewn i eglwys neu gapel neu unrhyw le o addoliad, mor bwysig ydi bod yn ddistaw oherwydd mae pob adeilad o addoliad yn lle sanctaidd.

Gweddi:
Diolchwn i Ti O Dduw am eglwysi. Mae pob eglwys yn cario enw un o'n seintiau ni yng Nghymru. Cofiwn fod eglwys a chapel yn perthyn i Dduw. Yno y byddwn yn gweddïo, clywed storïau o'r Beibl a chanu caneuon o foliant. Gwrando arnom O Dduw a helpa ni i ddweud wrth eraill amdanat Ti ac am dy Fab Iesu Grist.

Amen

Capel

Dyma i chi lun o'r Capel sydd yn agos i'r ysgol hon. Mae pobol sy'n mynd i'r Capel a phobol sy'n mynd i'r Eglwys i gyd yn addoli'r un Duw. Mae nhw'n Gristnogion, pobol sy'n credu fod Iesu Grist wedi byw dros ddwy fil o flynyddoedd yn ôl. Mae nhw hefyd yn ceisio byw bywydau da. Yr unig wahaniaeth rhwng capel ac eglwys ydi'r ffordd o addoli, a hefyd cynllun a dodrefn y ddau fath o adeilad.

Mae na gapeli mawr a bach. Wrth fynd i mewn i gapel mawr, fe welwch ambell dro fod galeri yno a lle i gannoedd o bobl eistedd. Ond mae na un sêt arbennig sydd yn cael ei galw y sêt fawr. Yn y sêt honno, o flaen pawb arall, y mae blaenoriaid y capel yn eistedd. Mae nhw wedi bod yn aelodau yn y capel ers blynyddoedd a nhw sy'n gofalu am y capel. Fel arfer, gweinidog sydd yn arwain y gwasanaeth a fo hefyd fydd yn bedyddio babanod ac yn derbyn plant hŷn.

Wrth ymyl y sêt fawr mae'r bwrdd Cymun ac uwch ei ben mae'r pulpud. O'r pulpud y bydd y gweinidog yn pregethu. Ymhob capel ac eglwys bydd emynau yn cael eu canu yn ystod y gwasanaeth,- rhai ohonyn nhw mewn addoldai yng Nghymru sydd wedi cael eu sgwennu gan bobol enwog iawn, pobol fel William Williams Pantycelyn, Ann Griffiths o Ddolwar Fach ac Edmwnd Prys.

Gweddi:
Diolchwn i Ti O Dduw am ein capeli ac am y gweinidogion enwog a fu'n pregethu ynddynt. Diolch am bawb sy'n gofalu am y capeli, y rhai sydd yn trefnu gwasanaethau bob Sul, a'r rhai sydd yn ein dysgu yn yr Ysgol Sul.

Amen

Eglwys Gadeiriol

(*Taflun o Eglwys Gadeiriol Bangor*)

Y mae na rai eglwysi arbennig iawn sydd yn cael eu galw yn Eglwysi Cadeiriol. Mae na 6 ohonyn nhw yng Nghymru, un yn Nhyddewi, un yn Llandâf, un yn Aberhonddu, un yng Nghasnewydd, un yn Llanelwy ac un ym Mangor.

'Cathedral' ydi'r enw Saesneg ac mae'r gair yn dod o hen air Lladin 'Cathedra', ac ystyr y gair ydi sedd neu sêt. Dyna pam yn Gymraeg y dywedwn Eglwys Gadeiriol neu Cadeirlan. Llan ydi'r gair arall am eglwys. Ymhob Eglwys Gadeiriol mae na sedd arbennig yn cael ei chadw i'r Esgob. Mae pob Eglwys Gadeiriol ac eglwys fach hefyd wedi cael ei henwi ar ôl sant arbennig.

Yn agos i fil a hanner o flynyddoedd yn ôl, roedd na ddyn o'r enw Deiniol yn byw ym Mangor. Dyn da iawn oedd Deiniol ac adeiladodd eglwys fechan allan o wiail. Roedd amryw o'i ffrindiau yn addoli yno. Dros y blynyddoedd fe gafodd yr eglwys ei dinistrio ond bob tro roedd hynny'n digwydd roedd rhywun yn ei hail adeiladu.

Dyma i chi lun o Gadeirlan Bangor fel mae hi heddiw. Ei henw ydi Eglwys Deiniol Sant ac mae'n hŷn nag unrhyw Gadeirlan arall yng Nghymru. Y Gadeirlan leiaf yw'r Gadeirlan yn Llanelwy. I lawr yn y De y gwelwch chi Gadeirlan Tyddewi lle mae sôn fod esgyrn Dewi Sant wedi cael eu claddu.

Gweddi:
Diolch am bobl fel Deiniol a'n dysgodd am fywyd Iesu Grist ac a sefydlodd addoldai yng Nghymru. Gwna i ni ddilyn ei esiampl.

Amen

Synagog

(Taflun sgrôl, neu sgrôl wedi ei gwneud o bapur a dau welltyn yfed)

Pan oedd Iesu Grist yn fachgen bach roedd o'n addoli mewn synagog, yn union fel mae Iddewon yn addoli heddiw, ac mae na amryw o Iddewon yn byw yng Nghymru.

Nid yw Iddewon yn addoli ar ddydd Sul. Mae eu Sabath nhw yn cychwyn bob nos Wener ac yn parhau tan nos Sadwrn. Ar y nos Wener bydd swper arbennig yn cael ei baratoi i'r teulu i gyd. Nid yw'r Iddewon yn bwyta rhai bwydydd fel cig mochyn, rhai adar gwyllt a physgod a geir mewn cregyn.

Ar y dydd Sadwrn, diwrnod y Sabath bydd gwasanaeth arbennig yn cael ei gynnal yn y synagog. Hebraeg yw iaith y gwasanaeth ac mae'r caneuon neu emynau yn cael eu canu heb fiwsig organ na phiano.

Bydd yr Iddewon yn addoli yr un Duw â ni. Mae ganddyn nhw Feibl o'r enw Torah sy'n cael ei gadw ar ffurf sgrôl yn y synagog. Storïau o'r hen Destament sydd yn y Torah, hanes pobol fel Moses, Noa, Dafydd a Joseff. Ar ôl darllen y storïau mewn gwasanaeth bydd y sgrôl wedyn yn cael ei chadw mewn lle sanctaidd o'r enw Arch. Bydd y gweinidog sydd gan yr Iddewon yn cael ei alw'n Rabi.

Gweddi:
Gwna ni'n ymwybodol O Dduw fod miloedd o bobl yn credu ynot Ti ond eu bod yn dy addoli mewn ffordd wahanol ac mewn adeiladau gwahanol i'n rhai ni. Diolchwn fod cymaint o bobl yn y byd yn gallu dy addoli.

Amen

Mosg

Dyma'r enw ar yr adeilad lle mae pobol a elwir yn Foslemiaid yn addoli. Roedd Moslemiaid ar un adeg i'w gweld fwyaf yn y gwledydd Arabaidd, gwledydd fel Saudi Arabia, yr Aifft, Iran, Iraq a Phalesteina. Erbyn heddiw mae Moslemiaid i'w gweld ymhob rhan o'r byd, gan gynnwys Cymru.

Enw eu Duw ydi Ala. Enw'r llyfr sanctaidd mae nhw'n ei ddefnyddio ydi'r Coran. Mae bron bob Mosg efo cromen uchel uwchben canol yr adeilad er mwyn i'r gweddïau atseinio yn y gwagle.

Mae gan y Moslemiaid reolau caeth iawn i'w dilyn wrth addoli:

1. Rhaid iddyn nhw dynnu eu sgidiau cyn mynd i mewn i'r mosg.

2. Rhaid iddyn nhw olchi eu dwylo a chadw at amser arbennig i weddïo. Dyna pam mae na gloc ar y wal.

3. Does na ddim seddau ym mhrif ran y mosg ac mae'n rhaid i bawb benlinio ar fatiau pan mae nhw'n gweddïo.

4. Mae'n rhaid iddyn nhw hefyd wynebu Mecca wrth weddio. Mecca ydi'r lle mwyaf sanctaidd i Foslemiaid ac mae pob Moslem yn ceisio mynd i Mecca unwaith yn ei fywyd.

    Bydd y mosg yn cael ei ddefnyddio hefyd ar gyfer cyfarfodydd, ar gyfer dosbarthiadau ac ar gyfer rhai sydd eisiau gweddïo'n ddistaw.

Gweddi:
Dysg ni O Dduw, er nad yw pobl fel Moslemiaid yn credu ynot Ti, eu bod yn gallu byw bywydau da fel ninnau. Y mae'r byd yn llawn o ddrygioni, ond ein gobaith ni ydi y bydd pawb yn dod i wybod am ein Duw ni, sef yr unig Dduw.

Amen

Noa

Pe tae rhywun yn darllen y Beibl i gyd – a dyna i chi gamp, mi fuasai'n syndod faint o sôn sydd na am wahanol erddi, blodau, anifeiliaid ac adar. Dyma un stori, un o'r rhai cyntaf yn yr Hen Destament lle mae na sôn am ddau aderyn.

Un tro roedd na ddyn o'r enw Noa. Dywedodd Duw wrtho un diwrnod am adeiladu cwch anferth. Ar ôl adeiladu'r cwch (neu arch fel mae'n cael ei galw yn y Beibl) roedd Noa i fod i fynd â dau o bob anifail, aderyn, a phob peth a oedd yn byw ar y ddaear, i mewn i'r cwch. Gwyddai Duw fod Noa yn ddyn da ond roedd o'n flin o weld fod cymaint o bobol ddrwg yn byw yn y byd a greodd. Ei fwriad felly oedd gyrru llifogydd i ddinistrio pob dim.

Ar ôl i Noa a'i deulu a'r holl anifeiliaid fynd i mewn i'r arch, caeodd Noa'r drysau ac fe lawiodd am ddeugain niwrnod a deugain nos. Cyn bo hir roedd pob man dan ddŵr. Ar ôl i'r glaw arafu, gwelodd Noa fod y dŵr yn dechrau cilio. Daeth y cwch i orffwys ar ben mynydd. Ar ôl deg mis, gyrrodd Noa gigfran allan i weld oedd y llifogydd wedi mynd, ond ni ddaeth yn ôl. Yna gyrrodd golomen allan a daeth yn ôl. Ymhen wythnos anfonodd hi eto a'r tro hwn pan ddaeth yn ôl yr oedd ganddi ddeilen yn ei phig.

Ar ôl saith diwrnod arall gyrrodd Noa y golomen allan am y trydydd tro, ond y tro hwn ni ddaeth yn ôl. Gwyddai Noa felly fod y llifogydd wedi clirio. Agorodd ddrws y cwch a gorymdeithiodd pawb allan. Dywedodd Duw wrth Noa na fyddai'n boddi'r tir byth eto a rhoddodd enfys yn yr awyr fel arwydd o'i addewid.

Gweddi:
Maddau i ni O Dduw os ydym wedi gwneud neu ddweud rhywbeth drwg heddiw. Mae'n hawdd iawn ambell dro frifo teimladau rhywun arall ac wedyn difaru. Maddau i ni a dysg ni i ddweud 'Mae'n ddrwg gen i'.

Amen

(Gellir canu "I mewn i'r arch â nhw")

Eryr

Wrth fynd i unrhyw gapel neu eglwys, fe welwch chi gopi mawr o'r Beibl. Mae'r Beibl yn cael ei ddal ar beth sy'n cael ei alw'n Ddarllenfa. Mewn amryw o eglwysi mae'r ddarllenfa ar siâp eryr. Pam meddwch chi mai eryr ac nid aderyn arall sy'n dal y Beibl?

Yr eryr ydi'r aderyn mwyaf o'r adar i gyd. Gall hedfan yn uwch nag unrhyw aderyn arall a phan mae o'n hedfan mae'r rhychwant rhwng blaen ei ddwy adain yn mesur tua dwy fetr. Mae ei goesau a'i grafangau yn gryf iawn. Mae ambell eryr cyn hyn wedi bod yn ddigon cryf, ar ôl plymio i'r ddaear, i ddal oen bach yn ei grafangau a'i gario i ffwrdd. Fo ydi Brenin yr adar.

Fel arfer, wrth edrych yn fanwl ar ddarllenfa fe welwch chi fod yr eryr yn sefyll ar ben y byd, â'i adenydd wedi eu lledu allan. Ar yr adenydd y bydd y Beibl agored yn cael ei gadw. Mae'n ddiddorol wrth ddarllen y Beibl fod cyfeiriad at yr eryr a'i gryfder i'w weld tua phump ar hugain o weithiau.

Brenin oedd Iesu Grist ac mae'n addas felly fod Brenin yr Adar yn dal y llyfr pwysicaf a ysgrifennwyd erioed.

Gweddi:
O Dduw fe greaist gannoedd o adar gwahanol, rhai yn fychan fel y dryw a rhai yn fawr fel yr eryr. Diolchwn i Ti am y storïau a'r hanesion sydd yn y Beibl yn enwedig yr hanes a gawn am fywyd Iesu Grist.

Amen

Pelican

(Angen llun pelican)

Mewn dau lyfr yn y Beibl mae 'na sôn am aderyn rydan ni'n ei adnabod heddiw fel pelican. Roedd na amryw o'r adar yma i'w gweld ar lannau yr afon Iorddonen. Ydach chi wedi gweld pelican erioed?

(dangos llun pelican)

Mi welwch chi o'r llun hwn ei fod o'n aderyn mawr iawn â phig hir ganddo. Mae rhan waelod y big yn edrych fel bag meddal. Pysgod yw hoff fwyd y pelican, ac ar ôl dal pysgodyn bydd yn ei gadw yn ei big. Mae'n defnyddio'i big fel storfa i wneud yn siŵr fod digon o fwyd ar gael i'r cywion bach. Pam felly y mae na lun o'r pelican mewn ffenestri lliw fel er enghraifft mewn eglwys yng Nghonwy?

Wrth edrych yn fanwl ar big y pelican mae modd gweld fod blaen y big yn goch. Mae na stori fod y pelican unwaith wedi methu cael bwyd i'w chywion ac fe bigodd hi ei bron ei hun efo'i phig a'u bwydo nhw efo'i gwaed. Does neb yn gwybod ydi'r stori yn un wir ai peidio ond mae pobol sy'n credu fod Iesu Grist wedi byw yn y byd hwn yn meddwl fod o hefyd wedi rhoi ei fywyd drosom ni.

Gweddi:
Diolch i Ti O Dduw am yrru dy Fab Iesu Grist i'n byd. Er ei fod wedi marw'n ddyn ifanc, fe wnaeth waith da. Dysg ni i fyw'n dda a dilyn ei esiampl.

Amen

Bywyd pentref

Ers talwm roedd pobol yn darllen y Beibl o glawr i glawr ac yn dysgu rhannau ohono ar eu cof. Rydan ni'n parhau i ddysgu adnodau byr yn yr Ysgol Sul. Dim ond wrth wybod am adnodau a storïau'r Beibl y gallwn ni ddysgu sut oedd bywyd fferm a phentref yr adeg honno.

Yn y pentrefi yn oes Iesu Grist roedd yn rhaid i bob teulu gadw ychydig o anifeiliaid er mwyn cael bwyd a dillad. Wrth gadw ychydig o ddefaid a geifr roedd y teulu'n cael cig, llefrith a gwlân. Wrth gadw ieir roedden nhw'n cael cig ac wyau. Roedd mul neu ddau yn perthyn i bob teulu hefyd – y mulod oedd yn cario pethau trwm ar eu cefnau. Ar gefn mul yr aeth Mair efo Joseff o Nasareth i Fethlehem cyn i Iesu Grist gael ei eni. Ar gefn mul y teithiodd Iesu Grist i Jerwsalem ychydig cyn iddo farw.

Yn y pentrefi hefyd roedd na bob math o grefftwyr, seiri coed a oedd yn gwneud dodrefn a chelfi i'r ffermydd, crochenwyr a oedd yn gwneud llestri, gofaint a oedd yn gwneud offer allan o haearn. Roedd na grefftwyr eraill yn gwneud matiau, plethu basgedi a gwneud pethau allan o ledr. Fel arfer roedden nhw'n gwerthu eu nwyddau ac yn cael grawn, olew a llysiau yn hytrach nag arian. Mae'n debyg fod Joseff yn gwerthu y celfi a'r dodrefn yr oedd o'n eu gwneud allan o bren ac yn cael bwyd i'r teulu fel taliad.

Merched y pentref a fyddai'n gwneud dillad, tyfu a chasglu llin ac yna ei nyddu i gael cotwm. Ar ôl gwneud y defnydd byddai rhywun yn y pentref yn ei liwio cyn iddo gael ei wneud yn ddilledyn

Gweddi:
Diolch am ein cymuned. Fel yr oedd pawb â'i ddawn ym mhentref Nasareth lle roedd Iesu Grist yn byw, felly mae bywyd pentref a chymuned heddiw. Diolch i Ti am y doniau hynny a'r gweithgareddau da sydd yn gwella bywyd ein hardal.

Amen

Ffermio

Mae cryn dipyn o sôn yn y Beibl am fyd natur, adar, anifeiliaid, ffrwythau a llysiau. Mae llawer o storïau hefyd a ddywedodd Iesu Grist am fywyd yn y wlad yn enwedig ffermio.

Yr adeg honno nid oedd gan y ffermwyr dractorau a pheiriannau fel sydd i'w cael ar ffermydd heddiw. Roedd ffermwr ers talwm yn aredig y tir ddwy waith bob blwyddyn. Roedd dau ych yn tynnu'r aradr a'r ffermwr yn cerdded tu ôl yn gofalu eu bod yn mynd y ffordd iawn. Gwenith ac ŷd oedd o'n ei dyfu ac ar ôl ei werthu, merched y teulu a fyddai'n gyfrifol am ei falu a'i wneud yn flawd trwy ddefnyddio maen melin.

Roedd rhai ffermwyr yn gofalu am winllannoedd mawr ac yn tyfu grawnwin er mwyn gwneud gwinoedd. Ar y ffermydd hefyd roedd na gannoedd o goed olewydd. Yn yr Hydref byddai pawb yn y pentref yn helpu i ysgwyd y coed a chasglu'r olewydd aeddfed a oedd yn syrthio. Roedd yr olewydd wedyn yn cael eu gwasgu i wneud olew.

Fel arfer y merched oedd yn tyfu'r llysiau – cucumerau, nionod, cennin, melon, pys, ffa, cnau a phomgranadau. Roedd gan Iesu Grist ddameg am heuwr. Fe soniodd hefyd am hedyn mwstard – hedyn bychan sydd efo'r gofal iawn yn gallu tyfu yn llwyn mawr.

Gweddi:
Diolchwn i Ti O Dduw am bawb sydd yn ffermio – y rhai sy'n ffermio anifeiliaid a'r rhai sy'n tyfu ŷd a gwenith. Diolch am yr haul a'r glaw y mae nhw'n dibynnu arno. Cofiwn am ffermwyr mewn gwledydd eraill sydd yn gweld eu cnydau yn marw oherwydd nad ydyn nhw wedi cael glaw ers misoedd.

Amen

Y Gylchred Ddŵr

(Angen pot jam gwag a gellir defnyddio'r taflunydd i ddangos y cylchred ddŵr)

Ydach chi wedi meddwl erioed o ble mae'r glaw a'r cymylau yn dod? Efallai bod rhai ohonoch chi'r plant hynaf yn gwybod. Os chwythaf i allan trwy fy ngheg ar y pot jam 'ma, mae aer yn dod allan o fy ysgyfaint ac yn gadael dafnau bach o ddŵr ar y gwydr. Dyna beth ydi aer ond nid ydan ni'n gallu ei weld o, er ei fod o'n cwmpas ni o hyd.

Neithiwr cyn mynd adref o'r ysgol fe adewais i ychydig o ddŵr mewn soser ac erbyn heddiw mae'r dŵr hwnnw wedi diflannu. Beth sydd wedi digwydd iddo?

(Gellir trafod i gael y gair **anweddu**)

Yn syml iawn fe allwn ni ddangos ar ffurf cylch, y broses o gymylau yn ffurfio a glaw yn syrthio.

Plentyn 1: Mae dŵr yn y môr, yn y llynnoedd a'r afonydd ac yn y pridd ar y tir. Ar ddiwrnod braf a chynnes bydd ychydig o'r dŵr yn anweddu. **Anwedd**

Plentyn 2: Bydd awel a gwynt yn symud yr aer gwlyb yn uwch i'r awyr, yn aml iawn uwchben y mynyddoedd. **Gwynt**

Plentyn 3: Mae'n oer ar ben y mynydd. Bydd yr aer gwlyb yn ffurfio cymylau . **Cwmwl**

Plentyn 4: Ymhen ychydig o amser bydd y glaw yn syrthio ar y ddaear. **Glaw**

Ac wrth edrych ar y cylch rwan fe welwn fod gennym gylchred ddŵr:

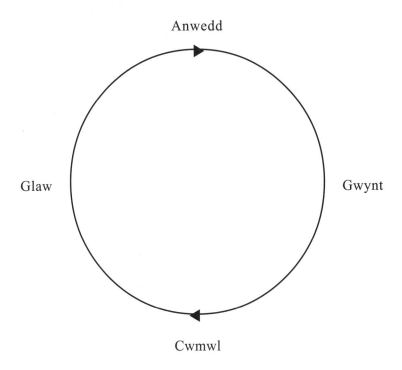

Anwedd

Glaw

Gwynt

Cwmwl

Gweddi:
Diolchwn i Ti O Dduw fod gennym ni ddŵr bob diwrnod o'r flwyddyn, bob wythnos a phob mis. Rydym ni angen dŵr ar gyfer cymaint o bethau fel ymolchi a choginio. Mae'r ffatrïoedd angen dŵr. Mae'r ffermwyr angen dŵr yn y caeau. Pe bae ni heb ddŵr fe fyddem yn gweld ei golli. Cofiwn am y plant bach hynny sydd ddim yn gwybod beth yw dŵr glân.

Amen

Dŵr yn y cartref

(Angen gwydraid o ddŵr, sebon, can bach i ddyfrio blodau)

Beth fuasem ni'n ei wneud heb ddŵr? Ydan ni'n sylweddoli mor lwcus ydan ni i gael dŵr yn dod allan o'r tap bob tro y byddwn ei angen?

(Gellir trafod a gwneud rhestr o'r defnydd sy'n cael ei wneud o ddŵr yn y tŷ a'r ardd)

1. Ymolchi, golchi gwallt, cael bath.
2. Dŵr ar gyfer cadw'r toiled yn lân.
3. Dŵr ar gyfer coginio.
4. Dŵr ar gyfer golchi llestri.
5. Dŵr ar gyfer golchi dillad.
6. Dŵr ar gyfer golchi'r llawr a glanhau'r ffenestri.
7. Dŵr i'w yfed.
8. Dŵr ar gyfer dyfrio'r blodau, a llysiau a thyfu hadau.
9. Dŵr ar gyfer injan y car.
10. Dŵr ar gyfer golchi'r car. a.y.y.b.

Mae'r dŵr a ddefnyddiwn yn ein tai yn dod o gronfa fawr i fyny yn y mynyddoedd. Cyn i ni ei ddefnyddio bydd wedi cael ei buro. Mae anifeiliaid angen dŵr glân i'w yfed hefyd. Mae'n rhaid i ni felly ofalu ein bod yn rhoi dŵr glân i'n hanifeiliaid anwes.

Gweddi:
Molwn Di o Dduw am greu'r mynyddoedd a'r llynnoedd a'r afonydd fel ein bod yn cael cyflenwad o ddŵr. Rydym yn ffodus fod digon o ddŵr gennym, yn ein cartrefi, mewn ffatrïoedd ac ar y ffermydd. Cofiwn am y rhai sydd heb ddŵr oherwydd ei bod heb lawio yn eu gwlad ers misoedd.

Amen

Gorsaf Dinorwig

Yn Llanberis yng Ngogledd Cymru mae na gylchred ddŵr arbennig iawn. Mewn lle o'r enw Gorsaf Dinorwig sydd ar gyrion Llanberis mae trydan yn cael ei wneud, a dŵr sy'n ei gynhyrchu.

Os ewch chi yno, does na ddim byd i'w weld o'r tu allan ond mynydd a llyn o'r enw Marchlyn Mawr. Mae'r orsaf ei hun yng nghanol y mynydd a rhaid mynd trwy dwnelau hir i'w chyrraedd. Yn uwch ar y mynydd mae na lyn arall – Marchlyn Bach. Rhwng y ddau lyn mae na bibellau dŵr anferth, a thyrbinau sy'n troi wrth i'r dŵr fynd heibio nhw. Y tyrbinau sy'n gwneud y trydan.

Dŵr yn cael ei ryddhau o Lyn Marchlyn Bach i lawr i Lyn Marchlyn Mawr.

Llyn Marchlyn Bach

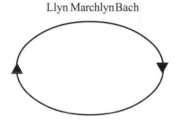

Llyn Marchlyn Mawr

Dŵr yn cael ei bwmpio i fyny o Lyn Marchlyn Mawr i Lyn Marchlyn Bach

Mae dŵr yn dod i lawr o Lyn Marchlyn Bach trwy bibellau ac yn troi'r tyrbinau sydd wedyn yn gwneud trydan. Yn ystod y nos, mae'r dŵr yn cael ei bwmpio i fyny o Lyn Marchlyn Mawr yn ôl i Lyn Marchlyn Bach. Y diwrnod wedyn a'r noson wedyn mae'r un peth yn digwydd eto, dro ar ôl tro – a dyna i chi gylch arall.

Mae dŵr yn werthfawr iawn i ni. Yn oes Iesu Grist roedd merched y pentref yn cerdded nifer o weithiau mewn diwrnod er mwyn nôl dŵr o'r ffynnon. Rydan ni'n ffodus ein bod yn cael dŵr o'r tap. Mi fuasai'n fyd rhyfedd iawn heb ddŵr! A fuasai na fyd o gwbl?

Gweddi:
Diolch am y mynyddoedd a'r llynnoedd sydd yng Nghymru. Fe roddodd Duw ddoniau i ni i ddefnyddio'r dŵr o'r llynnoedd i gynhyrchu trydan a hynny heb lygru'r amgylchfyd. Diolch am y rhai sy'n gweithio ddydd a nos er mwyn i ni gael cyflenwad dŵr a thrydan. Er mwyn Iesu Grist.

Amen

Dŵr a Bedydd

Mae pob un ohonom ni yn perthyn i deulu. Mae rhai teuluoedd yn fawr a rhai yn fach. Mewn teulu cyfan mae na blant a'u rhieni, neiniau a theidiau, modryb ac ewythr efallai, a chefndryd a chyfnitherod.

Mae pawb sydd yn Gristion yn perthyn i deulu arall hefyd – teulu Duw. Byddwch yn cael eich gwneud yn aelod o deulu Duw pan gewch chi eich bedyddio.

Fel arfer babanod sy'n cael eu bedyddio ac mae hynny'n digwydd mewn capel neu mewn eglwys. Yn y gwasanaeth mae na fam fedydd a thad bedydd. Dyma'r bobol fydd yn ateb ar eich rhan chi ac yn addo eich dysgu chi i fyw bywyd da.

Ond mae na fwy i fedydd na hynny. Mi fydd y gweinidog neu'r offeiriad sydd yn gofalu am y gwasanaeth yn rhoi dŵr ar eich pen ac yn gwneud siâp croes ar eich talcen. Bydd yn eich galw wrth eich enw ac yn dweud:
"Bethan, rwy'n dy fedyddio di yn enw'r Tad a'r Mab a'r Ysbryd Glân. Amen".
O'r adeg honno ymlaen byddwch yn aelod o deulu Duw.

Fel arfer, ar ôl y gwasanaeth bedydd fe fydd y teulu yn dathlu trwy gael parti oherwydd mae bedydd yn achlysur pwysig iawn, yn ddiwrnod i'w gofio am byth. Dyma i chi gerdd fach am ddiwrnod bedydd:

Bedydd

Mae nhw'n deud bydd na barti fory
A bydd Nain yn dod o Gaerdydd;
Anti Nel yn dod o'r Wyddgrug
A Taid o Goed y Ffridd.

Bydd fy mam a'n nhad yno hefyd
A llu o gnitherod o'r De,
A thri o rieni newydd
Na wn i ddim o ble.

Mae nhw'n deud fod gennyf ffrog newydd –
Un sidan â brodwaith del,
Mai cannwyll pob llygaid a fyddaf
Yn lân a thaclus a swel.

Mae nhw'n deud fy mod am gael enw
Ond Bethan a fûm ers yr Haf;
Bydd dŵr yn gwlychu fy nhalcen
A Theulu newydd a gâf.

Mae nhw'n deud y bydd teisen arbennig
A phawb yn gwledda ond fi.
Ysgwn i pam fydd hynny
Mewn parti sy'n barti i mi?

Gweddi:
Bendithia ni O Arglwydd oherwydd ein bod yn perthyn i dy deulu
arbennig Di. Dysg ni i fyw bywyd da, i ddilyn esiampl yr Iesu trwy garu
eraill, a bod yn aelod teilwng o dy Deulu Di.

Amen

Diogelwch

Pwy sy'n dysgu nofio? (*Gellir trafod ym mha bwll mae'r plant yn dysgu, pa bellter y gallant nofio, pa wobrau mae nhw wedi ennill, a.y.y.b.*) Oes na rywun wedi ennill y wobr am achub bywydau?

Mae'n bwysig fod pawb yn dysgu nofio. Os byth yr ewch chi i drafferth yn y môr, neu mewn llyn neu afon, fe allwch gan amlaf achub eich hun os ydach chi wedi arfer bod mewn dŵr ac yn medru nofio. Cofiwch fod modd boddi mewn dŵr bas. I fod yn ddiogel wrth chwarae neu nofio mewn dŵr, mae'n rhaid cofio'r rheolau:

1. Peidiwch â chwarae'n wirion mewn dŵr.
2. Pan ydach chi'n nofio yn y môr, peidiwch â mynd yn bell o'r lan. Ambell dro mae na gerrynt o gwmpas, na fedrwch chi eu gweld.
3. Os ydach chi'n mynd i nofio yn y môr, cofiwch ddweud wrth eich rhieni eich bod chi'n mynd.
4. Peidiwch â mynd allan mewn cwch heb wisgo siaced achub bywyd.
5. Os ewch chi allan mewn cwch rwber, cofiwch y gall y gwynt eich chwythu allan i'r môr.
6. Os ydi'r llanw ar drai, gall eich tynnu chi allan i'r môr.
7. Cofiwch fod dŵr llyn yn ddifrifol o oer. Mae modd marw o oerni os ewch chi i drafferth mewn llyn.
8. Cofiwch os gwnewch chi syrthio mewn dŵr afon, fod y lli yn gallu eich cario ymhell.
9. Cofiwch chwilio am fflag rhybudd ar lan môr sy'n ddieithr i chi.
10. Os ydi'r fflag goch yn chwifio, peidiwch â mynd i nofio yn y môr.

Felly cofiwch fod dŵr yn gallu bod yn beryglus.

Gweddi:
Gwna ni'n ddoeth O Dduw pan fyddwn yn cael hwyl yn nofio, hwylio a chwarae mewn dŵr. Gwna ni hefyd yn wyliadwrus os bydd plant llai na ni o gwmpas, neu blant sydd efallai ddim yn hyderus mewn dŵr. Mae'n hawdd mynd i drafferthion. Mae'n anodd achub ein hunain.

Amen

Christopher

Yn agos i ddwy fil o flynyddoedd yn ôl roedd na ddyn tal a chryf iawn a'i enw oedd Christopher. Oherwydd ei gryfder, roedd Christopher yn teimlo ei fod o eisiau helpu'r brenin gorau yn y byd.

Tra oedd Christopher allan yn cerdded ryw ddiwrnod, fe gyfarfu â meudwy neu ddyn duwiol. Dywedodd yr hen ŵr wrtho am Iesu Grist. "Sut medra i helpu Iesu Grist?" gofynnodd Christopher ac atebodd y meudwy, "Defnyddia dy gryfder i helpu pobol eraill. Mae na afon wrth ymyl fan hyn. Mae hi'n ddofn iawn ac nid yw'n hawdd i'w chroesi. Does na ddim pont dros yr afon ond rwyt ti'n ddigon cryf i gario pobol ar draws i'r ochr arall."

Adeiladodd Christopher fwthyn pren ar lan yr afon a chariodd bobol dros y dyfroedd chwyrn, beth bynnag oedd y tywydd. Rhag ofn i'r cerrynt ei gario efo'r lli, cariai ffon wedi ei gwneud o gangen coeden. Un noson daeth plentyn bach at Christopher a gofyn iddo ei gario dros yr afon. Cytunodd Christopher ond wrth iddo gerdded trwy'r dŵr, roedd y plentyn a oedd ar ei ysgwyddau fel pe tae'n mynd yn drymach ac yn drymach. Ar ôl cyrraedd y lan ar yr ochr arall i'r afon gofynnodd Christopher i'r plentyn "Pwy wyt ti?" a dywedodd y plentyn "Fi yw Crist y Brenin."

Dyna pam hyd heddiw mae Sant Christopher yn cael ei alw'n Sant y Teithwyr. Mae na lawer o bobol sy'n gwrthod teithio os nad ydyn nhw'n gwisgo amwled Christopher Sant.

Gweddi:
Rho i ni ddewrder O Arglwydd pan fyddwn ei angen, i helpu eraill yn enwedig os ydi'r dasg yn un beryglus neu anodd. Er mwyn Iesu Grist.
Amen

Ffransis

Mae gen i ddarlun ar y wal adre - darlun o ddyn o'r enw Ffransis, wedi ei wisgo mewn gwisg hir, frown a elwir yn abid. Yn y darlun mae o'n siarad efo'r anifeiliaid a'r adar sydd o'i gwmpas. Dyn felly oedd Ffransis Sant, dyn addfwyn a distaw. Cafodd ei eni yn Assisi yn yr Eidal tua 800 mlynedd yn ôl. Gwaith ei dad oedd gwerthu defnyddiau drud a'u hallforio i wledydd eraill. Roedd ei dad o hefyd yn ddyn cyfoethog iawn.

Un diwrnod roedd Ffransis yn eistedd yn Eglwys San Damiano pan glywodd o lais yn dweud "Trwsia fy eglwys Ffransis". "Aeth Ffransis i warws ei dad a chymryd llwyth o ddefnyddiau. Ar ôl eu gwerthu, defnyddiodd yr arian i drwsio'r eglwys. Gwylltiodd ei dad pan welodd o beth oedd wedi digwydd a gyrrodd Ffransis o'i dŷ am byth, heb geiniog yn ei boced.

Cyn bo hir cafodd Ffransis ei alw'n 'ddyn bach tlawd Assisi' ond roedd yn berffaith hapus yn ei waith yn byw bywyd da ac yn addoli Duw. Daeth llawer o bobol tebyg iddo i'w helpu efo'i waith a sefydlodd Ffransis gwmni o fynaich a'u galw yn Urdd Ffransis. Roedd pob mynach yn cael ei alw'n Frawd a phob lleian yn cael ei galw'n Chwaer. Er enghraifft y Brawd Ffransis a'r Chwaer Cler.

Dros y blynyddoedd aeth rhai o'r Brodyr o gwmpas y byd yn dysgu pobol am Dduw. Mae na ychydig ohonyn nhw yn byw a gweithio yng Nghymru heddiw. Mae nhw'n gwisgo abid frown hir ac o amgylch eu gwregys mae rhaff efo tri chwlwm arni, sy'n dangos fod pob mynach a phob lleian o Urdd Ffransis yn addo bod yn dlawd, yn ddibriod ac yn ufudd i Dduw.

Dyma weddi enwog a luniodd Ffransis yn agos i 800 mlynedd yn ôl ac mae'n weddi sy'n cael ei defnyddio hyd heddiw.

Gweddi:
> Arglwydd, gwna fi'n offeryn dy hedd,
> Lle mae casineb, boed i mi hau cariad,
> Lle mae camwedd, maddeuant,
> Lle mae amheuaeth, ffydd,
> Lle mae anobaith, gobaith,
> Lle mae tywyllwch, goleuni,
> Lle mae tristwch, llawenydd.
> Amen

Bernadette

Ganwyd Bernadette mewn lle o'r enw Lourdes yn Ffrainc yn 1844. Roedd hi'n ferch eiddil iawn ac roedd hi o hyd yn mynd yn sâl. Pan oedd hi'n 14 oed aeth am dro i lawr at yr afon lle roedd na ogof fechan.

Un diwrnod wrth eistedd yno, fe welodd hi ddynes ifanc hardd a oedd yn galw ei hun yn Forwyn Fair. Wnaeth Bernadette ddim dweud wrth neb am beth a welodd. Aeth at yr afon eto, y tro yma efo'i ffrindiau a gwelodd y ddynes ifanc eto, ond doedd ei ffrindiau hi ddim wedi ei gweld. Roedd Bernadette yn cynnal sgwrs efo'r ddynes a chyn bo hir fe welodd hi'r ddynes yn ei chyfeirio at hen ffynnon a oedd yn ymyl.

Fe welodd Bernadette y ddynes a oedd yn galw ei hun yn Forwyn Fair tua deunaw o weithiau ond er bod Bernadette yn dweud am hyn wrth bawb, ychydig o bobol a oedd yn ei choelio.

Pan oedd Bernadette yn 22 oed aeth i fyw bywyd fel lleian a bu farw'n ifanc iawn yn 35 oed. Ers hynny mae miloedd o bobol sâl yn mynd i Lourdes bob blwyddyn, i'r fan lle gwelodd Bernadette y Forwyn Fair. Mae na wyrthiau yn digwydd yno oherwydd mae llawer o'r bobol sy'n ymweld â'r lle yn dod adref wedi cael eu hiachau. Mae na lawer hefyd sydd ddim yn cael eu hiacháu ond mae taith neu bererindod i Lourdes yn gwneud iddyn nhw deimlo yn well.

Gweddi:

Bendithia O Dduw y miloedd o bobl sâl neu anabl sy'n teithio i Lourdes bob blwyddyn. Gwyddom nad oes modd iacháu pawb ond rydan ni'n clywed yn aml fod llawer yn **cael** eu hiacháu, oherwydd eu bod yn credu yn Iesu Grist a'r wyrth a welodd Bernadette.

Amen

Santes Ffraid

Merch o Iwerddon oedd Ffraid. Cafodd ei geni yn 453. Roedd Ffraid yn ferch garedig iawn, ond roedd hi'n anhapus iawn oherwydd bod ei llysfam yn gas wrthi hi. Penderfynodd ei thad y buasai ei bywyd hi'n hapusach pe bae hi'n gweithio fel morwyn. Aeth â hi at Frenin y wlad gan obeithio y byddai hi'n cael gweini yn ei balas. Tra oedd ei thad yn trafod hyn efo'r Brenin, roedd Ffraid yn disgwyl amdano tu allan i borth y castell. Daeth dyn tlawd heibio a gofyn i Ffraid a oedd ganddi fwyd i'w sbario, "Does gen i ddim bwyd," meddai hi "ond fe gei di hwn yn anrheg" a rhoddodd gleddyf gwerthfawr ei thad iddo. Roedd ei thad mor flin wrthi hi a gwrthododd y Brenin roi gwaith iddi hi.

Aeth Ffraid yn lleian pan oedd hi'n 16 oed. Mae na amryw o storïau am Ffraid a'i charedigrwydd. Un tro pan oedd hi'n sefyll ar lan Afon Conwy, gwelodd amryw o'r trigolion a oedd o amgylch yn crïo am nad oedd ganddyn nhw fwyd. Taflodd Ffraid frwyn i'r afon a newidiodd y brwyn yn bysgod bach arian. Enw'r pysgod ers yr adeg honno yw brwyniaid. Mae nhw i'w cael o hyd yn Afon Conwy ac yn ein hatgoffa ni o garedigrwydd Santes Ffraid. Dyma weddi a luniwyd gan sant arall o'r enw Padrig:

Gweddi:
> Crist gyda mi, Crist ynof fi;
> Crist tu cefn i mi, Crist tu blaen i mi;
> Crist wrth f'ymyl, Crist i'm hennill;
> Crist yn gysur, Crist i'm hadfer;
> Crist o danaf, Crist drosof;
> Crist mewn tangnefedd, Crist mewn adfyd;
> Crist yng nghalon pawb a garaf,
> Crist ar dafod ffrind a dieithryn.
>
> Gweddi St. Padrig (389 – 461)

Seiriol a Chybi

Bob diwrnod pan mae rhai pobol yn gyrru i'w gwaith cyn naw yn y bore, mae'r haul (os bydd na haul) yn disgleirio ar eu hwynebau trwy'r ffenest ar y dde. Ac wrth iddyn nhw yrru'n ôl o'u gwaith fe fydd yr haul yn disgleirio ar eu hwynebau unwaith eto, er ei fod erbyn yr adeg yna o'r dydd mewn safle gwahanol yn yr awyr. Pe bae na haul bob diwrnod o'r flwyddyn mi fyddai golwg ryfedd iawn ar eu hwynebau.

Yn y chweched ganrif roedd na ddau ddyn duwiol yn byw yn Ynys Môn. Seiriol oedd enw un a Chybi oedd enw'r un arall. Trigai Seiriol ym Mhenmon ac roedd ganddo eglwys fechan ar Puffin Island neu Ynys Seiriol fel mae'r ynys yn cael ei galw heddiw. Trigai Cybi ym mhen arall yr ynys, lle sy'n cael ei alw heddiw yn Gaergybi. Roedden nhw'n ffrindiau efo'i gilydd ac yn aml iawn cerddai'r ddau a chyfarfod ger Ffynnon Clorach a oedd yng nghanol yr ynys.

Pan gerddai Seiriol yn y bore roedd yr haul y tu cefn iddo. Gyda'r nos roedd yn cerdded yn ôl at yr ynys â'i gefn unwaith eto at yr haul. Roedd Cybi yn cerdded â'i wyneb at yr haul yn y bore a gyda'r nos pan oedd yn mynd adref.

Nid oedd wyneb Seiriol yn gweld yr haul a chafodd yr enw Seiriol Wyn oherwydd fod ei wyneb yn wyn. Roedd wyneb Cybi at yr haul o hyd. Roedd ganddo liw haul. Ei enw oherwydd hyn oedd Cybi Felyn.

"Seiriol Wyn a Chybi Felyn,
Mynych fyth y clywir sôn
Am ddau Sant y ddwy orynys
Ar dueddau Môn."

Gweddi:
Diolch i Ti am yr awduron sydd wedi croniclo holl hanesion y seintiau yng Nghymru. Helpa ni i ddilyn esiampl y seintiau hynny trwy fyw bywyd da a sôn wrth eraill am ein cariad tuag atat Ti O Dduw.

Amen

Ynysoedd y Seintiau

Os ewch chi o gwmpas Cymru fe welwch chi fod nifer o adfeilion Abatai o gwmpas. Abaty oedd lle'r oedd mynaich a oedd yn addoli Duw yn byw. Mae hanes y mynaich hyn yn mynd yn ôl i'r chweched ganrif. Os sylwch chi ar enwau lleoedd yng Nghymru mae cannoedd ohonyn nhw wedi cael eu galw ar ôl seintiau, - ystyr y gair Llan yw Eglwys, - felly ystyr yr enw Llandudno yw Eglwys Tudno, ac roedd Tudno yn Sant; Llandeilo yw Eglwys Teilo; Llansanffraid yw Eglwys Sant Ffraid. Felly petai chi'n gwneud rhestr o'r holl drefi a phentrefi sy'n dechrau efo Llan, mi fyddech chi'n gweld faint o Seintiau a fu'n byw yng Nghymru.

Roedd y saint hyn yn arfer mynd ar bererindod, i Rufain, Caersalem, Tyddewi ac Ynys Enlli. Ynys fechan wrth ymyl Aberdaron yn Llŷn yw Enlli – lle arbennig a dymunol iawn. Mae'n anodd mynd yno oherwydd fod y Swnt sydd rhwng yr ynys a'r tir mawr yn beryglus iawn, ond roedd y saint rywsut neu'i gilydd yn gallu mynd yno, ac mae nhw'n dweud fod ugain mil o seintiau wedi cael eu claddu ar Ynys Enlli.

Mae 'na ynys debyg yn Ne Cymru sef Ynys Bŷr – tua dwy filltir o Ddinbych y Pysgod. Mae nhw'n dweud mai yn y chweched ganrif yr oedd y fynachlog gyntaf yno, ac enw'r Abad oedd Pŷr. Mae'n eithaf posib fod llawer o saint wedi ymweld â'r ynys hon hefyd dros y blynyddoedd. Mae 'na fynachlog yn parhau i fod yno heddiw. Mae'r mynaich yn gwisgo abid gwyn. Ar amseroedd arbennig o'r dydd mae nhw'n gweddïo ar Dduw. Mae nhw wedyn yn garddio, trin y tir, gofalu am wenyn, gwneud mêl, tyfu blodau a llysiau. Bydd y cynnyrch wedyn yn cael ei werthu ar y tir mawr.

Gweddi:
Diolchwn i Ti O Dduw am Seintiau Cymru, pobl fel Deiniol, Dewi, Seiriol, Cybi, Illtud, Tudno, Dyfrig, Teilo, Beuno a llawer o rai eraill. Ganrifoedd yn ôl roeddent yn dysgu pobl Cymru am Iesu Grist ac wedyn eu dysgu sut i fyw bywyd da. Diolchwn am eu gwaith.

Amen

Dewi Sant

O holl seintiau Cymru mae na un sy'n bwysicach na'r gweddill a hwnnw ydi Dewi. Dewi yw ein nawddsant ni yng Nghymru ac mae na storïau diddorol amdano.

Cafodd Dewi ei eni tua mil a hanner o flynyddoedd yn ôl, ddim ymhell o le a elwir heddiw yn Dyddewi. Bu farw ar Fawrth 1af a dyna pam bob blwyddyn ers hynny bydd y diwrnod hwnnw'n cael ei alw'n Ŵyl Dewi. Ar y diwrnod arbennig hwnnw bydd Cymry yn gwisgo Cennin Pedr neu Gennin fel arwydd eu bod yn cofio Dewi Sant ar Fawrth 1af. Dyma sut y byddwn ni'n dathlu'r Ŵyl:

1. Yn ein hysgol ni byddwn yn cael cyngerdd arbennig. Bydd pob dosbarth yn cymryd rhan. Fe fydd na ganu, llefaru, dawnsio gwerin a hanesion am Ddewi Sant. Dw i'n hoffi gwisgo'r wisg Gymreig sydd gen i. Bydd yr athrawon yn gwisgo Cennin Pedr fel arwydd fod yr Ŵyl yn un arbennig i ni'r Cymry.

2. Bydd llawer o gymdeithasau yn cael noson arbennig i ddathlu'r Ŵyl. Fel arfer bydd na swper arbennig – a hwnnw'n cynnwys cawl cennin. Ar ôl y pryd bwyd bydd na siaradwr gwadd.

Dyma gerdd am Ŵyl Dewi:

> "Mae nhw draw ar y lawnt
> Fel llynedd
> Yn rhwygo'n ddistaw trwy'r pridd;
> Eu hutgyrn melyn
> Yn cyhoeddi
> Eu bod yno o hyd.
>
> Mae nhw draw yn yr ardd
> Fel llynedd,
> Y llysiau gwyrdd a gwyn –
> A gwyn eu gwraidd
> Yn flasus
> Fel y bu erioed.
>
> Mae nhw draw ym Maes yr Arfau
> Fel llynedd
> Yn bloeddio'u teyrngarwch cryf –

Eu tonau gwladgarol
Yn atsain
"Tra môr yn fur."

Mae nhw draw yn yr ysgol
Fel llynedd,
Yn mowldio'r papur crêp,
A'u canu cyngherddol
Yn obaith
Fod ein hiaith yn fyw.

Gweddi:
Diolch i Ti, O Dduw am ein nawddsant Dewi. Helpa ni i dyfu fel ef
mewn ffydd, mewn gobaith ac mewn cariad. Er mwyn Iesu Grist.

Amen

Bywyd Dewi (i)

Non a Sandde oedd enwau rhieni Dewi. Cyn i Dewi gael ei eni mae na stori am Sandde yn hela carw, pysgod a gwenyn. Gwelodd angel a dywedodd yr angel wrtho am roi rhan o'r helfa i'r fynachlog a oedd wrth ymyl. Byddai o a Non wedyn yn cael mab. Gwnaeth Sandde beth oedd yr angel wedi dweud wrtho am ei wneud ac yn fuan iawn ar ôl y digwyddiad hwnnw fe gafodd Dewi ei eni.

Aeth Dewi i ysgol fach leol yn ymyl ei gartref. Pan oedd yn hŷn aeth ymhellach i ffwrdd i Ysgol Peulin. Mae rhai yn dweud mai mewn rhyw fath o fynachlog yr oedd yr ysgol hon. Roedd Dewi yn ddisgybl disglair iawn ac arhosodd yn yr ysgol am tua deng mlynedd. Tra oedd wrth ei wersi, byddai colomen wen yn dod i eistedd ar ei ysgwydd.

Un diwrnod sylwodd Dewi fod golwg ei athro Peulin yn gwaethygu. Cyn bo hir roedd Peulin yn ddall ond fe roddodd Dewi ei ddwylo ar lygaid ei hen athro a phan agorodd Peulin ei lygaid wedyn, roedd gwyrth wedi digwydd oherwydd roedd yn gallu gweld.

Ar ôl gadael yr ysgol teithiodd Dewi i Lydaw cyn dod yn ôl a theithio o amgylch Cymru. Yna daeth yn ôl i'w hen ardal a phenderfynodd sefydlu Mynachlog.

Gweddi:
>Am wlad mor dawel ac mor dlos
>>Ein Tad, moliannwn di;
>Mae trysor yn ei henw da
>>A'i hanes annwyl hi.
>>>>>Amen
>>>>>(Eifion Wyn)

Bywyd Dewi (ii)

Cyn sefydlu mynachlog roedd rhaid i Dewi a'i ddilynwyr gael tir addas. Roedd Dewi eisiau adeiladu mewn dyffryn o'r enw Glyn Rhosyn. Roedd afon yn llifo trwy'r dyffryn ac roedd y caeau a'r tir o gwmpas yn dir da. Dyn cas o'r enw Bwya Bendefig oedd piau'r tir, a gwrthododd roi'r tir i Dewi. Aeth Dewi a'i ddilynwyr i lawr y dyffryn, a chynnau tân. Meddai Dewi, "Fy nhir i fydd y tir sy'n cael ei orchuddio gan y mwg." Gwelodd Bwya'r tân a'r mwg, a dywedodd wrth ei weision, "Bydd y dyn sydd wedi goleuo'r tân yna yn enwog trwy Gymru," ac roedd ei eiriau yn wir.

Adeiladodd Dewi ei fynachlog yn y dyffryn. Roedd bywyd mynach yn fywyd anodd ond cyn bo hir roedd pawb yng Nghymru yn gwybod am Dewi.

Un tro roedd yna gyfarfod pwysig yn Llanddewi Brefi. Roedd tyrfa fawr wedi dod yno i wrando ar Dewi yn pregethu, ond roedd yn anodd iawn i'r rhan fwyaf ei weld a'i glywed. Fel yr oedd Dewi'n siarad efo'r bobol, teimlodd y ddaear yn codi o dan ei draed nes ei fod yn sefyll ar fryn, a gallai pawb wedyn ei weld a'i glywed yn eglur.

Dyma eiriau Dewi ar ddiwedd ei oes:

"Arglwyddi, frodyr a chwiorydd, byddwch lawen. A chedwch eich ffydd a'ch cred. A gwnewch y pethau bychain a glywsoch ac a welsoch gennyf fi."

Roedd Dewi yn gwybod fod gwneud ffafr fechan i rywun yn gallu ymddangos yn ffafr fawr yng ngolwg Duw.

Gweddi:
Diolch am Gymru ein gwlad. Diolch am Dewi ein nawddsant. Diolch am fedru dathlu Gwyl Dewi yr wythnos hon, a dangos i Ti O Dduw yn ein cyngerdd a'n moliant fod Cymru â'i hanes yn wlad arbennig iawn.

Amen

Y Wisg Gymreig

Ar ddiwrnod dathlu Gŵyl Dewi bydd llawer o blant ysgol yn gwisgo gwisg Gymreig, Mae'r wisg draddodiadol erbyn heddiw, yn cael ei gwisgo ar achlysuron arbennig. Dyma beth mae merch yn ei wisgo:

Het uchel ddu, pais, betgwn, siôl a chap. Fel arfer roedd y wisg wedi ei gwneud allan o frethyn cartref. Un o'r merched a wnaeth y wisg yn boblogaidd yn nechrau'r bedwaredd ganrif ar bymtheg oedd Arglwyddes Llanofer. Fe gasglodd hi luniau o'r wisg fel yr oedd hi'n cael ei gwisgo mewn gwahanol ardaloedd. Fe wnaeth hi hefyd wneud yn siŵr fod pobol tu allan i Gymru yn gwybod am ein masnach gwlân. Ond roedd y wisg wedi cael ei gwneud yn enwog cyn hynny gan wraig o'r enw Jemeima Niclas. Ym mis Chwefror 1797 glaniodd nifer o filwyr Ffrengig ar y traethau yn Abergwaun. Eu bwriad oedd ymladd cyn croesi i Iwerddon i ennill tir yno. Ond roedd criw o ferched wedi eu gweld yn glanio. Un ohonyn nhw oedd Jemeima Niclas. Roedd y merched i gyd yn gwisgo eu gwisgoedd Cymreig – siôl goch a hetiau du. Dychrynodd y Ffrancwyr gan feddwl mai byddin oedd yn dod i'w cyfarfod. A diwedd y stori oedd iddyn nhw ddychryn cymaint fel iddyn nhw ddianc i'w cychod a gadael glannau Cymru – diolch i Jemeima Niclas.

Gweddi:	Am Gymru ein gwlad,	*Diolch i Ti*
	Am ein nawddsant Dewi,	*Diolch i Ti*
	Am esiampl y Seintiau,	*Diolch i Ti*
	Am yr iaith Gymraeg,	*Diolch i Ti*
	Am hanes ein gwlad,	*Diolch i Ti*
	Am brydferthwch Cymru,	*Diolch i Ti.*
		Amen

Arthur

Tua mil a hanner o flynyddoedd yn ôl roedd angen brenin newydd ym Mhrydain oherwydd fod yr hen frenin wedi marw. Roedd 'na ddewin o'r enw Myrddin a fo a drefnodd sut i ddewis brenin newydd. Gosododd Myrddin gleddyf yng nghanol eingion a galw marchogion y wlad ato. Pwy bynnag a fyddai'n llwyddo i dynnu'r cleddyf allan o'r eingion fyddai'r brenin newydd. Methodd pob un o'r marchogion felly trefnwyd twrnament. Roedd un marchog o'r enw Syr Cai wedi dod heb ei gleddyf a gyrrodd Arthur i'w nôl. Ni fedrai Arthur weld y cleddyf yn unman, ond wrth chwilio fe welodd gleddyf yng nghanol eingion. Gafaelodd yn y carn, a heb ymdrech o gwbwl fe dynnodd y cleddyf hwnnw allan. Dychrynodd pawb a sylweddoli mai Arthur oedd eu brenin newydd. Casglodd Arthur nifer o farchogion, a phob tro yr oedden nhw'n bwyta neu gael pwyllgor, eisteddai pawb o amgylch bwrdd crwn – beth oedd yn cael ei alw'n Ford Gron. Wrth eistedd felly roedd pawb mor bwysig â'i gilydd.

Pan oedd Arthur a Myrddin yn cerdded ar lan y llyn, gwelodd y ddau fraich yn codi o'r dŵr ac roedd y llaw yn cario cleddyf hardd. Cerddodd merch ifanc dros y dŵr a rhoi y cleddyf i Arthur. "Cymer hwn ond rhaid i ti ddod â fo'n ôl i'r llyn cyn i ti farw."

Ymhen ychydig o amser roedd y Brenin Arthur wedi ei frifo mewn brwydr a gofynnodd i farchog o'r enw Bedwyr ei gario at ymyl y llyn a thaflu'r cleddyf i'r dŵr. Roedd y cleddyf yn hardd iawn ac ni allai Bedwyr ei daflu. Dwywaith y cuddiodd o'r cleddyf, a'r trydydd tro i Arthur ofyn iddo bu raid iddo ufuddhau. Taflodd y cleddyf, ac fel yr oedd y cleddyf yn syrthio i'r dŵr, cododd llaw o'r llyn a'i ddal, a'i droi dair gwaith cyn iddo ddiflannu dan y dŵr. Yna daeth cwch ar hyd y dŵr. Rhoddodd Bedwyr y Brenin Arthur ynddo a hwyliodd y cwch i le o'r enw Ynys Afallon.

Gweddi:
Diolch i Ti am lenyddiaeth Cymru. Arwain ni fel Arthur i fod yn deg â phawb ac i drin pawb yn gyfartal. Er mwyn Iesu Grist.

Amen

Griffith Jones

Tri chant o flynyddoedd yn ôl ychydig iawn o bobol oedd yn medru darllen oherwydd nid oedd 'na ysgolion i bawb. Fel arfer y bobol gyfoethog yn unig a oedd yn cael addysg. Roedd 'na offeiriad o'r enw Griffith Jones yn byw mewn lle o'r enw Llanddowror. Sylwodd wrth fynd o amgylch yn ymweld na fedrai pobol ddarllen eu Beiblau, a dyma beth wnaeth o yn ei Eglwys.

(*Dewis pedwar o blant – Gellir cael Griffith Jones yn meimio darllen llyfr.*)

Fe ddysgodd o bedwar person sut i ddarllen y Beibl ac wedyn fe roddodd o Feibl i bob un. Aeth y pedwar wedyn i Eglwysi eraill

(*y 4 yn gwahanu ac yn dewis 4 arall yr un – y 4 grŵp yn dysgu darllen eto*).

Rwan roedd yna 16 yn cael eu dysgu i ddarllen. Y cam nesaf oedd i'r 16 o bobol fynd i rannau eraill o'r wlad a dysgu mwy o bobol i ddarllen.

(*Gall yr 16 ddewis 4 o blant yr un.*)

Erbyn hyn roedd yna 64 o bobol yn dysgu darllen. Pan fu Griffith Jones farw yn 78 oed roedd 'na 3,500 o ysgolion wedi eu sylfaenu trwy Gymru i gyd, ac roedd tua 158,000 o ddisgyblion wedi cael eu dysgu sut i ddarllen y Beibl Cymraeg.

Gweddi:

O Dduw, oni bai am Griffith Jones mae'n debyg na fuasem yn medru mwynhau darllen a chlywed am yr hanesion sydd yn y Beibl. Dysg ni i helpu eraill sy'n llai abl na ni i ddarllen fel y gwnaeth o. Diolchwn i Ti am y weledigaeth a gafodd ac am ei ymroddiad.

Amen

Robert Owen

Dros gant o flynyddoedd yn ôl pe bae chi wedi bod yn byw yn Lloegr, fyddech chi ddim yn yr ysgol fel yr ydych chi heddiw, oherwydd ychydig iawn o ysgolion oedd ar gael. Roedd rheini yn rhai preifat ac roedd rhieni'r plant a oedd yn mynd yno yn gorfod talu am eu haddysg. Mae'n debyg yn Lloegr y byddech chi yr adeg honno wedi bod yn gweithio mewn ffatrïoedd – gweithio oriau hir, ambell dro gyda'r nos. Mi fyddech chi'n gweithio'n galed am ychydig iawn o gyflog, ac mi fyddech chi'n cael eich chwipio am wneud rhywbeth o'i le. Byddai gweithwyr ffatrïoedd yn byw mewn tai bychain neu dai tlodaidd. Oherwydd hynny, mi roedd hi'n anodd cadw'n lân ac roedd llawer, yn enwedig plant, yn marw o afiechydon. Felly mi rydach chi'n blant ffodus iawn heddiw ac mae'r diolch i ddyn o'r enw Robert Owen.

Ganwyd Robert Owen yn y Drenewydd yn 1771. Aeth i ysgol breifat i ddysgu darllen, ysgrifennu a gwneud rhifyddeg. Yna pan oedd o'n ddeg oed aeth i weithio mewn ffatri a oedd yn gwneud pethau allan o ledr. Aeth wedyn i weithio mewn ffatri cotwm ac oherwydd ei fod yn ddyn medrus, cyn bo hir yr oedd yn edrych ar ôl y gweithwyr ac yn eu cyflogi. Roedd o'n ddyn busnes caredig a theimlai'n flin iawn o weld sut yr oedd rhai plant – mor ifanc â phump a chwech oed yn cael eu trin

Dysgodd Robert Owen gynilo yr arian a oedd yn ei ennill. Cyn bo hir prynodd ffatrïoedd ac adeiladodd rai newydd i'r gweithwyr. Fe wnaeth reol nad oedd plant dan ddeg oed i weithio yn y ffatrioedd ac nid oedd y plant hŷn i fod i weithio gyda'r nos. Mynnodd hefyd fod gweithwyr yn cael cyflog da am wneud gwaith da. Dysgodd Robert Owen hefyd i bawb ofalu am eu tai a'u cadw'n lân.

Cyn bo hir roedd ganddo ddigon o arian i adeiladu ysgolion i blant o bob oed yn yr ardal lle roedd ei ffatrïoedd, lle'r oedden nhw'n cael cyfle i ddysgu pob math o bynciau. Er mai yn Lloegr a'r Alban y gwnaeth y gwaith da hwn, dyn o Gymru oedd o ac fe newidiodd ddeddfau er mwyn gwella telerau gwaith i bawb yn Lloegr ac yng Nghymru

Gweddi:
O Dduw mae ein dyled yn fawr i bobl fel Robert Owen a sicrhaodd fod plant fel ni yn cael ysgol ac addysg. Mae na nifer o blant o hyd mewn gwledydd eraill sy'n gweithio mewn ffatrïoedd am gyflogau bychan iawn, ac mae llawer o'r plant dan ddeg oed. Gweddïwn y bydd arweinwyr y gwledydd hynny yn dysgu oddi wrth esiampl pobl fel Robert Owen.

Amen

Llywelyn Ap Gruffydd

(*Map – amlinelliad, yn dangos Cymru a Lloegr – Afon Conwy, Llanfair ym Muallt, Cilmeri, Clynnog, Gwynedd.*)

Os ydych chi efo'r enw Llywelyn, Gruffydd, Dafydd, Owain neu Rhodri, mae eich enw yn un hen iawn. Tua 800 o flynyddoedd yn ôl roedd brenin Lloegr yn ceisio ennill mwy o dir trwy ymosod ar Gymru, ond yn anffodus roedd 'na dywysogion yng Nghymru yn ymladd â'i gilydd – eu henwau oedd Llywelyn, Dafydd, Owain a Rhodri. Mab Gruffydd oedd Llywelyn, a Llywelyn oedd enw ei daid hefyd – sef Llywelyn Fawr.

Ar ôl cryn dipyn o ryfela fe enillodd Llywelyn Ap Gruffydd ran fawr o dir Cymru a chyhoeddodd mai fo oedd tywysog Cymru. Roedd o eisiau i Gymru fod yn wlad ar ei phen ei hun ac nid yn rhan o Loegr. Ar ôl hyn roedd ei frodyr yn ei gasáu. Yn anffodus, cafodd Llywelyn ei ladd mewn brwydr fechan mewn lle o'r enw Cilmeri, ddim ymhell o Lanfair ym Muallt. Claddwyd ei gorff yn Abaty Cwm Hir ac erbyn heddiw mae'n cael ei alw yn Llywelyn ein Llyw Olaf.

(Dibynnu ar oed gellir darllen rhan o awdl Cilmeri – Gerallt Lloyd Owen.)

Gweddi:
Diolchwn i Ti O Dduw am Gymru ein gwlad, am ei hanes a'i thraddodiad, am yr iaith sy'n perthyn i ni. Diolchwn am wŷr dewr y gorffennol a fu'n ymladd er mwyn hawliau'r Cymry.

Amen

Evan James a James James

Pwy sydd wedi bod mewn 'Steddfod?
Pwy sydd wedi bod mewn gêm rygbi ryngwladol?

Ar ddiwedd pob diwrnod yn y 'Steddfod ac ar ddiwedd pob seremoni fawr fel y Cadeirio a'r Coroni, mae 'na gân arbennig yn cael ei chanu – "Hen wlad fy nhadau." Mae'r un gân hefyd yn cael ei chanu ar ddechrau gêm rygbi os mai Cymru yw un o'r ddau dîm sy'n chwarae. Evan a James James a ysgrifennodd y gân, ond roedd y ddau'n hoffi cael eu galw yn Ieuan Ap Iago ac Iago Ap Ieuan. Ieuan oedd tad Iago.

Cadwai Ieuan dafarn cyn prynu ffatri wlân ym Medwellty. Yno y ganwyd ei fab Iago. Symudodd y teulu wedyn i fyw i Bontypridd.

Un diwrnod tra oedd Iago yn cerdded ar lan yr afon, cyfansoddodd alaw, ac ar ôl mynd adref gofynnodd i'w dad lunio geiriau i'r miwsig. Cafodd y gân ei gyrru i 'Steddfod Llangollen yn 1858, ac yna cafodd ei chyhoeddi mewn cyfrol o'r enw *Welsh Melodies* a gasglodd dyn o'r enw John Owen. Daeth yn gân mor boblogaidd gan bawb (*Top of the Pops* y cyfnod) a phenderfynwyd ei defnyddio fel Anthem Genedlaethol Cymru. Cân ydi hon i gofio y rhai a gadwodd ein gwlad yn wlad Gymreig, ac mae'r llinell olaf yn sôn am gadw'r iaith Gymraeg am byth.

"O bydded i'r hen iaith barhau."

Cân: Gellir chwarae'r anthem: "Mae hen wlad fy nhadau."

Gweddi:
Gwlad fechan yw Cymru ond mae ei thirwedd yn hardd, ei hanes yn werthfawr a'i hiaith yn gyfoethog. Diolchwn i Ti O Dduw am y fraint o gael byw mewn gwlad mor arbennig.

Amen

Y Briodas

Roedd na ddyn duwiol iawn ar un adeg o'r enw Awstin. Un diwrnod, tra oedd o'n cerdded ar hyd glan y môr, gwelodd fachgen bach yn tyllu yn y tywod. Gwyliodd o bell am ychydig o amser. Roedd y bachgen bach yn gwneud twll dwfn yn y tywod. Ar ôl iddo orffen tyllu, rhedodd at y môr a llanwodd fwced efo dŵr. Yna ceisiodd wagio'r dŵr o'r bwced i'r twll. Gwnaeth hyn lawer gwaith. Aeth Awstin ato a gofyn iddo, "Beth wyt ti'n ei wneud?" ac atebodd y bachgen, "Dw i'n ceisio gwagio'r môr i'r twll." "Ond fedri di ddim gwneud hynny," meddai Awstin, "mae'r môr yn rhy fawr i fynd i mewn i'r twll yna!" Ond nid oedd y bachgen bach yn deall hynny. Felly'n union y byddwn ni yn ceisio deall pethau am Dduw. Fedrwn ni byth ddeall sut mae gwyrthiau yn digwydd. Mae Duw yn rhy fawr i ni ddeall pob dim amdano.

Fe wnaeth Iesu Grist pan oedd o'n mynd o amgylch yn pregethu, wneud llawer o wyrthiau. Gwyrth ydi pan mae rhywbeth rhyfeddol yn digwydd. Nid hud ydi gwyrth oherwydd tric sydd tu cefn i bob gweithred o hud, ond does 'na ddim tric mewn gwyrth. Mae 'na lawer o wyrthiau yn digwydd heddiw.

Un tro cafodd Iesu, Mair ei fam, a'i ddeuddeg disgybl, wahoddiad i fynd i briodas yng Nghanaan, Galilea. Aeth Mair at Iesu tua hanner ffordd drwy'r wledd a dweud wrtho eu bod wedi mynd yn fyr o win. Dywedodd Mair wrth y disgyblion, "Os ydi Iesu yn gofyn i chi wneud rhywbeth arbennig, cofiwch ei wneud." Gofynnodd Iesu wedyn i'w ddisgyblion lenwi'r potiau efo dŵr o'r ffynnon. Pan ddaeth y disgyblion â'r potiau yn ôl gofynnodd Iesu iddyn nhw fynd ag ychydig o ddŵr i drefnydd y wledd er mwyn iddo gael ei flasu. "Mae hwn yn win llawer gwell na'r un yr ydym newydd ei yfed," meddai yntau. A phan wnaeth beth oedd yn ddŵr gael ei dywallt i gwpanau pawb a oedd yn y wledd, nid dŵr oedd o, ond gwin. Dyma'r wyrth gyntaf a wnaeth Iesu Grist.

Gweddi:
Rhyfeddwn at bob gwyrth a wnaeth yr Iesu. Gwyddai ef fel ni sut deimlad oedd bod yn hapus mewn priodas, a sut deimlad oedd y siom fod y gwin wedi darfod. Arwain ni O Dduw at yr Iesu i ninnau hefyd gael rhannu ein problemau ac efallai eu datrys.

Amen

Gostegu'r Storm

Yn aml iawn roedd Iesu Grist yn dianc rhag y bobol a oedd yn ei ddilyn ac yn mynd i le tawel i weddïo ar Dduw. Ambell dro, byddai o a'i ddisgyblion yn cael seibiant bach mewn cwch ar y llyn. Un diwrnod pan oedden nhw ar y cwch, dywedodd Iesu wrth y disgyblion am hwylio i ochor arall y llyn. Tra oedden nhw'n croesi'r llyn aeth Iesu Grist i gysgu. Cyn bo hir fe gododd storm o wynt cryf. Roedd y dŵr yn llifo i mewn i'r cwch, a hyd yn oed ar ôl tynnu'r hwyliau i lawr nid oedd dim yn nadu i'r cwch gael ei chwipio yn erbyn y tonnau. Roedd y disgyblion wedi dychryn, ac aethant i ddeffro'r Iesu. "Mae 'na storm ddifrifol ac mae'r cwch yn suddo."

Pan ddeffrodd Iesu Grist, ceryddodd y gwynt a'r tonnau peryglus a diflannodd y storm. Yn y tawelwch a oedd yn dilyn, fe sylweddolodd y disgyblion fod Iesu Grist yn rhywun arbennig iawn os oedd o'n gallu tawelu storm mor enbyd.

Gweddi:
Cysura ni O Dduw pan fyddwn allan mewn storm o fellt a tharanau, neu wyntoedd cryfion, neu lifogydd dychrynllyd. Dysg ni i droi atat Ti os ydym yn ofnus, yn union fel y gwnaeth y disgyblion droi at Iesu Grist.

Amen

Porthi'r pum mil

Un tro roedd 'na hogyn bach deuddeg oed yn byw mewn pentref yng Ngalilea. Ei enw oedd Iago. Roedd o wedi clywed fod 'na lawer o bobol yn teithio o bell i weld a gwrando ar ddyn arbennig iawn o'r enw Iesu Grist. Roedd 'na griw o bobol o'r pentref am fynd i'w weld ac roedd Iago yn awyddus i fynd hefyd. Roedd yn daith bell ar droed, a pharatôdd ei fam bicnic bach iddo – pum torth haidd a dau bysgodyn.

Ar ôl cyrraedd y man lle'r oedd Iesu yn siarad efo'r dorf, gwelodd Iago fod 'na tua phum mil o bobol yno'n gwrando. Roedd deuddeg o ddisgyblion Iesu yno hefyd. Daeth un ohonyn nhw at Iago a gofyn iddo fo fynd â'i fwyd at Iesu oherwydd roedd llawer o'r dyrfa eisiau bwyd. Dywedodd y disgybl wrth Iesu Grist, "Mae'r bachgen yma efo bara a physgod ond fydd hynny ddim yn ddigon i'r dorf fawr yma."

Derbyniodd Iesu Grist y bara a'r pysgod gan Iago a'u bendithio. Yna rhannodd y disgyblion y bwyd rhwng y pum mil o bobol ac roedd digon o friwsion ar ôl i lenwi deuddeg basged. Roedd hwnnw'n ddiwrnod arbennig iawn i Iago oherwydd ei fod wedi gweld un o wyrthiau Iesu Grist, - gwyrth a oedd yn dangos fod Iesu Grist wedi gallu gwneud rhywbeth na fyddai neb arall wedi gallu ei wneud. Bu'r disgyblion yn siarad am y diwrnod arbennig hwnnw am amser maith.

Gweddi:
Dysg ni Arglwydd Iesu i droi atat Ti os bydd rhywbeth yn ein poeni, - aelod o'r teulu yn sâl, plant eraill yn gas wrthym yn yr ysgol neu efallai ein bod yn drist oherwydd ein bod wedi colli mewn ras neu gystadleuaeth. Mae gan bawb broblemau a gwyddom dy fod yn fodlon gwrando arnom a'n cysuro.

Amen

Y Claf o'r Parlys

Roedd y tai yng ngwlad Iesu Grist i gyd efo to fflat – pob to wedi ei wneud o wiail wedi eu plethu efo'i gilydd ac wedi eu gorchuddio efo clai. Byddai'r haul yn sychu'r clai, ac ar ôl cawodydd o law trwm byddai perchennog y tŷ yn ychwanegu mwy o glai ar y to er mwyn i'r tŷ fod yn sych.

Roedd pentref wrth ymyl môr Galilea o'r enw Capernaum. Yno trigai dyn a oedd wedi'i barlysu. Roedd o wedi clywed fod Iesu Grist yn ymweld â rhywun mewn tŷ yn y pentref. Gofynnodd y dyn sâl i'w ffrindiau fynd â fo at y tŷ oherwydd roedd o wedi clywed fod Iesu Grist yn gwella pobol. Ond pan gyrhaeddon nhw'r tŷ nid oedd lle i fynd i mewn. Roedd 'na lawer o bobol tu allan i'r tŷ hefyd. Aeth ffrindiau'r dyn sâl â fo i ben to'r tŷ ac ar ôl iddyn nhw wneud twll mawr yn y clai a oedd ar y to, dyma nhw'n gollwng eu ffrind wrth draed Iesu Grist.

Pan welodd Iesu y dyn sâl roedd o'n gwybod ei fod o'n dymuno cael ei iacháu a dywedodd wrtho, "Cod, plyga dy wely a dos adref." Cododd y gŵr a gwelodd ei fod yn gallu cerdded. Aeth adref i ddweud y newydd da wrth ei deulu. Y diwrnod hwnnw dywedodd pawb a welodd y wyrth "Gwelsom bethau mawr heddiw."

Gweddi:
Cysura O Dduw bawb yn dy fyd sydd yn sâl neu'n fethedig. Rho nerth iddynt i gredu ynot Ti ac i siarad â Thi pan mae nhw'n teimlo'n isel eu hysbryd. Er mwyn Iesu Grist.

Amen

Bartimeus

Mae nhw'n dweud fod pobol sydd ddim yn gweld yn dda neu sy'n ddall yn gallu clywed yn well na phobol eraill. Roedd 'na ddinas fechan wrth ymyl y Môr Marw. Enw'r ddinas oedd Jerico ac o'i chwmpas roedd 'na lawer o goed balsam yn tyfu. Mae eli o'r coed yma'n dda ar gyfer gwendidau yn y llygaid. Efallai fod llawer o bobol ddall yn mynd yno i brynu eli. Does wybod.

Ryw ddiwrnod roedd 'na ddyn dall o'r enw Bartimeus yn eistedd tu allan i'r ddinas yn cardota. Gwyddai wrth wrando fod na griw o bobol yn mynd heibio iddo a gofynnodd i rywun a oedd yn pasio "Pam mae'r holl bobol ma'n mynd heibio?" A'r ateb a gafodd oedd "Mae pawb wedi dod i weld Iesu o Nasareth." Fedrai Bartimeus ddim mo'i weld oherwydd ei fod o'n ddall and gwaeddodd yn uchel "Iesu tyrd i fy helpu."

Roedd llawer o bobol o gwmpas yn dweud wrtho am dewi, ond dal i weiddi a wnaeth o. Gofynnodd Iesu pwy oedd yn galw arno, ac ar ôl i'w ddisgyblion ddod â Bartimeus ato dywedodd wrtho "Pam wyt ti'n gweiddi fy enw? Beth wyt ti eisiau?" A dywedodd Bartimeus wrtho "Mi hoffwn gael fy ngolwg yn ôl." Rhoddodd Iesu ei ddwylo ar lygaid y dyn dall ac o'r eiliad honno roedd Bartimeus yn gweld unwaith eto.

Gweddi:
Mae na filoedd o bobl yn Affrica ac India sydd yn ddall oherwydd nad oes digon o ysbytai na digon o feddygon yno i'w trin. Gweddïwn y bydd mwy o feddygon yn cael eu hyfforddi er mwyn i'r bobl hyn gael gweld unwaith eto, yn union fel y cafodd Bartimeus ei iacháu gan Iesu Grist.

Amen

Leonardo da Vinci

(Angen copi o'r Mona Lisa)

Ers pan mae dyn wedi byw yn y byd mae arlunio neu luniadu wedi bod yn ffordd bwysig iawn o roi syniadau mewn llun. Mae'n debyg fod dynion Oes y Cerrig wedi dysgu eu hunain sut i luniadu anifeiliaid ar waliau'r ogofâu lle roedden nhw'n byw. Mae modd lluniadu neu arlunio rhywbeth y gallwch ei weld â'r llygad, neu rywbeth y gallwch ei ddychmygu ond efallai ddim ei weld.

Os ewch chi i weld arlunwaith mewn Oriel fe welwch chi fod rhai lluniau yn apelio atoch ac eraill ddim. Erbyn heddiw mae na gannoedd a channoedd o arlunwyr. Pob un efo arddull wahanol, rhai yn paentio lluniau llachar, eraill yn paentio gan ddefnyddio lliwiau arbennig. Mae na amryw o arlunwyr sydd wedi paentio yn union beth mae nhw wedi weld. Mae na rai eraill sy'n newid siâp a lliwiau wrth baentio ar ganfas. Mae na rai lluniau sy'n hollol haniaethol ac yn anodd eu deall, ond o'r holl arlunwyr sydd wedi paentio trwy'r canrifoedd mae na rai sydd yn dal yn enwog heddiw am eu gweithiau. Un o'r rheini yw Leonardo da Vinci.

Ganwyd Leonardo mewn lle o'r enw Vinci yn yr Eidal yn 1452. Roedd yn ddyn galluog iawn. Yn ogystal â phaentio gallai droi ei law at nifer o bethau eraill fel pensaernïaeth, gwyddoniaeth, cerddoriaeth a chynllunio peiriannau. Er ei fod erbyn heddiw yn enwog am ei waith arlunio, roedd o hefyd yn enwog am ei syniadau. Roedd o'n hoffi gweld sut oedd pethau'n gweithio. Byddai'n eu datgysylltu ac wedyn yn eu rhoi yn ôl efo'i gilydd.

Un o'i weithiau mwyaf enwog yw'r arlunwaith hwn a alwodd yn Mona Lisa. Fe wnaeth hefyd baentio'r Swper Olaf ar un o'r muriau mewn eglwys yn Milan. Mae'r math yma o arlunwaith yn cael ei alw yn ffresco.

Gweddi:
Mae dyn ers iddo gael ei greu wedi bod yn gwneud llun i ddweud neges. Diolchwn i Ti o Dduw am roi'r ddawn i arlunwyr ddehongli dy greadigaeth a rhoi pleser i ni.

Amen

Michael Angelo

(Casgliad o ddeunyddiau arlunio ac un copi o arlunwaith Michael Angelo a photel o liw coch ar gyfer coginio)

Pe tae arlunydd o'r enw Michael Angelo yma heddiw fe fyddai'n dychryn clywed ni'n trafod y deunyddiau rydach chi'n paentio efo nhw yn y dosbarth.

(Gellir cael y plant i enwi eitemau yn y casgliad e.e. paent powdr, paent olew, paent dŵr, paent acrilic, paent ar gyfer paentio efo'r dwylo, pensiliau lliw, pensiliau â'r lliw yn cymysgu efo dŵr, creon cwyr, sialc pastel, sialc olew, brws mawr, brws bach, palet, a.y.y.b.)

Mae'r paent yma i gyd wedi cael ei brynu ar gyfer ei ddefnyddio yn yr ysgol. Fe allwch chi ddefnyddio'r lliwiau fel y mae nhw neu fe allwch arbrofi trwy gymysgu'r lliwiau i gael lliw yr ydach chi ei angen. Efallai y bydd eich mam yn defnyddio potel fel hon wrth addurno cacennau. Lliw coch sydd yn y botel. A wyddoch chi beth sydd wedi cael ei ddefnyddio i gael y lliw hwn? Pryfaid bach wedi eu malu'n fân!! A dyna sut gwnaeth dyn ers talwm ddarganfod lliwiau. Mae lliwiau i gyd i'w cael allan yn y wlad – mewn blodau, mewn llysiau a ffrwythau ac mewn trychfilod bach fel pryfaid!

Arlunydd o'r Eidal oedd Michael Angelo. Pan oedd o'n hogyn bach roedd o eisiau dysgu sut i fod yn bensaer ond nid oedd ei dad yn fodlon. O'r diwedd trefnodd ei dad iddo fynd i gael hyfforddiant gan arlunydd o'r enw Domenico Ghirlandaio. Yn fuan iawn daeth Michael Angelo i fod yn arlunydd enwog iawn. Gofynnodd y Pab iddo baentio ffresco anferth ar y nenfwd yn y Capel Sistine yn Rhufain.

Roedd yn rhaid iddo orwedd ar ei gefn i baentio'r nenfwd. Bu'n paentio bob diwrnod am 4 blynedd. Ni wyddai neb bron ei fod mor brysur yn paentio ac roedd pawb wedi rhyfeddu gweld y gwaith pan oedd wedi cael ei orffen. Dyma gopi o lun enwog Michaelangelo.

Gweddi:
O Dad, diolchwn i Ti am gael cyfle i fynd am wyliau i wahanol wledydd. Mae rhai ohonom yn hoffi mynd i gael tywydd braf a hwyl ar lan y môr. Mae rhai yn hoffi mynd i sgïo yn y Gaeaf. Mae rhai ohonom yn hoffi mynd i Wlad Disney ac mae na eraill sy'n hoffi mynd i wledydd fel Rhufain i gael gweld arlunwaith pobl fel Michael Angelo. Diolch am gael y cyfle i fynd.

Amen

Pablo Picasso

(Angen enghreifftiau o waith Picasso)

Mae rhai pobol yn meddwl mai Pablo Picasso oedd arlunydd pwysicaf y ganrif ddwytha'. Cafodd ei eni yn Sbaen yn 1881 ac ar ôl i'w dad ei ddysgu sut i baentio aeth Picasso wedyn i amryw o golegau yn Sbaen er mwyn dysgu mwy am arlunio. Efallai mai dyna lle y dysgodd o baentio mewn gwahanol ffyrdd.

(gellir cael enghreifftiau o'r canlynol)

1. Ar un adeg roedd Picasso yn paentio pob llun yn las a lluniau oedd rhain o bobol dlawd.

2. Am flwyddyn wedyn bu Picasso yn paentio pob llun yn binc – lluniau oedd rhain am gymeriadau a oedd yn gweithio mewn syrcas!

3. Roedd Picasso yn arbrofi o hyd,- ambell dro roedd yn defnyddio lliwiau melyn a brown yn unig.

4. Dro arall roedd yn arlunio llun rhywbeth a oedd yn hollol wahanol i beth roedd o'n ei weld.

5. Ond mae pobol yn cofio Picasso yn bennaf am ei arddull o giwbiaeth neu yn Saesneg 'cubism'. Yn hytrach na gwneud darlun fflat ar bapur roedd o'n gwneud darlun a oedd yn dair ochrog, - dyma ddechrau math o Collage yr ydan ni yn ei wneud heddiw mewn ysgolion.

Gweddi:
Diolch i Ti, O Dduw am bob Amgueddfa yng Nghymru ac mewn gwledydd eraill lle gallwn fynd i weld rhyfeddodau'r gorffennol. Diolch am arlunwyr, cerflunwyr, archaeolegwyr a phenseiri.

Amen

Vincent van Gogh

(Angen llun Hunan bortread van Gogh a'i waith 'Blodau Haul')

Mae gen i gopi yn fan hyn o ddarlun a baentiodd Van Gogh (hunanbortread) ohono ei hun. Wrth edrych o bell ar y darlun fe welwn ni fod lliw ei wallt yn rhyw frown/oren. Ond os edrychwn yn agosach fe welwn fod hyn yn gymysgedd o linellau bach oren a gwyrdd! Mae'r math yma o arddull yn cael ei alw'n pointilism ac fe ddefnyddiodd Van Gogh yr arddull mewn nifer o weithiau. Dyma un o'r darluniau mwyaf enwog a baentiodd Van Gogh – llun blodau'r haul. Roedd o'n troi ei law at baentio unrhyw beth – portreadau, bywyd llonydd, tirluniau, ac roedd o'n defnyddio lliwiau mewn modd gwahanol i bawb arall. Arlunydd o'r Iseldiroedd oedd Van Gogh – yr un mwyaf enwog yn y wlad honno ers Rembrandt.

Cafodd fywyd trist iawn a bu farw yn 1890 yn 37 oed.

Gweddi:
Diolch i Ti O Dduw am arlunwyr fel Van Gogh. Diolch hefyd am y dull gwahanol o baentio sydd gan bob arlunydd. Mae pob dull yn unigryw. Dysg ni i werthfawrogi eu gwaith a'u llafur er nad ydym ambell dro yn ei ddeall.

Amen

Kyffin Williams

(Angen llun neu gopi o arlunwaith Kyffin Williams, ac efelychiad o'r llun wedi'i wneud gan un plentyn)

Ar lannau afon Menai ddim yn bell iawn o Borthaethwy mae 'na arlunydd enwog iawn yn byw. Ei enw ydi Kyffin Williams. Yno mae ei stiwdio hefyd, ac o'r stiwdio honno mae yna olygfa fendigedig o fynyddoedd Eryri.

Ganwyd Kyffin Williams yn 1918. Yn ystod yr Ail Ryfel Byd roedd yn filwr gyda y Ffiwsiliwyr Brenhinol Cymreig ond pan aeth yn sâl bu raid iddo fo adael y fyddin. Dechreuodd baentio, a chyn bo hir daeth pobol i'w adnabod fel arlunydd ac i adnabod ei waith. Dyma gopi o un o weithiau Kyffin Williams. Mae o'n hoffi defnyddio paent olew a chyllell balet i roi'r paent ar y canfas.

Mae dosbarth .... wedi bod yn copïo neu efelychu arddull Kyffin Williams. Dyma'r llun a wnaeth .... Mae wedi defnyddio sbatwla glud a phaent tew sydd fel arfer ar gyfer paentio efo'r bysedd.

Hoffi paentio tirluniau y mae Kyffin Williams. Mae'n paentio'n sydyn iawn ac yn gallu gorffen un llun mewn diwrnod. Erbyn heddiw mae'n arlunydd byd enwog ond os ydi ei arlunwaith yn apelio atoch chi, bydd yn rhaid i chi gael digon o bres yn eich poced cyn i chi fedru prynu un. Mae ei waith yn ddrud iawn i'w brynu.

Gweddi:
Mae Cymru ein gwlad yn perthyn i ni ac rydym yn falch o gael cymaint o enwogion sydd yn enwog trwy'r byd am eu gwaith, beth bynnag yw. Diolchwn felly am arlunwyr Cymru, y rhai sydd wedi gweld harddwch eu gwlad ac wedi ei baentio ar ganfas i ni gael ei fwynhau.

Amen

Handel

(Angen TÂP – rhan o "Alelluia Chorus" allan o'r Meseia neu Teilwng yw'r Oen)

Mae'r gerddoriaeth a glywsoch chi rwan yn ddarn o waith a wnaeth cyfansoddwr o'r enw George Fredric Handel ei gyfansoddi. Enw'r gwaith yw'r 'Meseia' ac mae'n cael ei ganu gan gorau ym mhob man o gwmpas adeg y Nadolig. Roedd y perfformiad cyntaf yn Nulyn yn Iwerddon dros 250 o flynyddoedd yn ôl. Y Brenin yn Lloegr yr adeg honno oedd Siôr yr ail. Pan glywodd o'r darn a glywsoch chi – yr 'Alleluia Chorus' am y tro cyntaf, cododd ar ei draed a safodd tra oedd y côr yn canu.

Ganwyd Handel yn yr Almaen yn 1685. Daeth i fyw i Loegr pan oedd o'n 25 oed a chyfansoddodd amryw o operâu – sef dramâu ar gân – y miwsig poblogaidd ar y pryd, tebyg i'n caneuon pop ni rŵan.

Cyn bo hir blinodd y bobol ar operâu. Roedd hyn yn poeni Handel gryn dipyn ac aeth yn sâl iawn. Ond roedd o'n ddyn cryf. Roedd pobol yn ei alw'n arth fawr. Ar ôl gwella dechreuodd gyfansoddi oratorios fel y Meseia, a darnau hefyd ar gyfer cerddorfa – cerddoriaeth fel 'Water Music'. Aeth Handel yn ddall a bu farw yn Llundain pan oedd o'n 74 oed. Mae o wedi cael ei gladdu yn Abaty Westminster.

(Gellir chwarae rhan o Teilwng yw'r Oen i ddangos sut mae gwaith Handel wedi cael ei wneud yn gyfoes)

Gweddi:
Diolchwn i Ti O Dduw am holl gyfansoddwyr y gorffennol a'r gerddoriaeth a oedd yn arbennig i bob un. Ni fedrwn ddeall y gamp o gyfansoddi bob tro, ond fe allwn fwynhau'r gerddoriaeth.

Amen

Saint-Saens

(Angen tâp neu C.Dd. "Carnival of the Animals")

Cyfansoddwr o Ffrainc oedd Saint-Saens. Roedd o hefyd yn canu'r piano a'r organ. Fe gyfansoddodd o bob math o gerddoriaeth ar gyfer cerddorfeydd, corau a phiano. Roedd o hefyd yn gallu bod yn ddigrifwr oherwydd un darn o waith a gyfansoddodd oedd "Carnival of the Animals". Yn y gwaith roedd na 14 o ddarnau neu symudiadau a phob un ohonyn nhw yn cynrychioli gwahanol anifail.

Ni chafodd y gwaith ei berfformio o gwbl tra oedd Saint-Saens yn fyw. Efallai y gallwch chi ddyfalu pa anifail sy'n cael ei ddisgrifio mewn rhai o'r symudiadau. Gallwch wedyn ddyfalu pa offeryn cerddorol sy'n cael ei chwarae i ddisgrifio'r anifail.

Gweddi:
Diolch O Dad am yr holl gyfansoddwyr sydd wedi dangos i ni mai nid trwy siarad yn unig y gallwn gyfathrebu. Cofiwn am y bobl fyddar yn ein byd a'r golled mae nhw'n gael o fethu clywed miwsig.

Amen

Johann Sebastian Bach

(Angen Tâp neu C.Dd. o un o weithiau Bach ar gyfer Organ)

Cyn bod na offeryn fel y piano hwn, roedd pobol yn defnyddio harpsicord. Un o'r cerddorion a ddaeth yn enwog am ganu harpsicord oedd dyn o'r enw Johann Sebastian Bach o'r Almaen. Roedd na tua 40 o gerddorion yn ei deulu a thyfodd 4 o'i feibion i fod yn gerddorol hefyd. Bu rhieni Bach farw pan oedd o'n 10 oed ac aeth i fyw efo un o'i frodyr Johann Christoph. Fo ddysgodd Bach sut i ganu'r organ ac wedyn yr harpsicord.

A dyma'r math o waith a wnâi Bach – cyfansoddi cerddoriaeth ar gyfer organ, cerddoriaeth i nifer fach o offerynnau, cerddoriaeth grefyddol ar gyfer corau a cherddoriaeth ar gyfer cerddorfeydd mawr. Wrth gyfansoddi roedd Bach eisiau i bobol gofio'r miwsig ar ôl clywed y perfformiad. Mynd yn ddall wnaeth Bach ac er iddo gael llawdriniaeth bu farw pan oedd o'n 65 oed. Dyma ran o'i waith:

(Gellir chwarae rhan o Toccata neu Fugue ar gyfer organ)

Gweddi:
Diolchwn i Ti O Dduw am y gwahanol fathau o gerddoriaeth sydd wedi cael ei gyfansoddi ers canrifoedd. Er bod arddull y cyfansoddwyr i gyd yn amrywio fe roddaist y ddawn gerddorol i bob un. Dysg ni os ydym yn hoffi miwsig neu ganu offeryn, i feithrin y sgiliau fel y gallwn ninnau fel y cyfansoddwyr ddefnyddio ein dawn.

Amen

Ludwig van Beethoven

(Angen Tâp neu CDd o Symffoni Rhif 9 Beethoven a Moonlight Sonata neu Pathetique)

Cafodd Beethoven ei eni yn yr Almaen yn 1770. Ei dad a'i dysgodd o sut i ganu'r piano a phan oedd o'n 11 oed roedd o'n chwarae'n ddigon da i berfformio'n gyhoeddus. Pan oedd o'n 12 oed cafodd ychydig o'r gwaith a gyfansoddodd ei gyhoeddi. Fe ysgrifennodd Beethoven bob math o gerddoriaeth ar gyfer cerddorfeydd mawr a bach, ac ar gyfer corau ond fe ddaeth yn enwog iawn am y Sonatas a ysgrifennodd o ar gyfer piano. Dyma i chi ran o un Sonata (*"Moonlight Sonata" neu "Pathetique"*.)

Roedd o'n chwarae amryw o'i Sonatas mewn cyngherddau ond pan oedd o'n 32 oed fe wnaeth ddechrau mynd yn fyddar ac nid oedd neb yn gallu gwneud dim i'w helpu. Roedd yn ddyn dewr iawn ac nid oedd yn hawdd iddo gyfansoddi cerddoriaeth ac yntau erbyn hyn yn clywed dim o gwbl. Dyma ran o'r 9fed symffoni a sgwennodd Beethoven pan oedd o'n hollol fyddar. Ar y noson gyntaf i'r gwaith yma gael ei berfformio gan gerddorfa fawr, nid oedd Beethoven yn gallu clywed ei gerddoriaeth na'r gynulleidfa yn curo dwylo ar y diwedd. Felly roedd yn rhaid i'w ffrind droi Beethoven i wynebu'r bobol er mwyn iddo weld eu bod wedi eu plesio efo'r gerddoriaeth a oedd newydd gael ei chwarae.

(Rhan o Symffoni Rhif 9)

Gweddi:
Trwy ddwylo medrus cyfansoddwr, mae darn o gerddoriaeth yn cael ei greu. Diolchwn i Ti O Arglwydd am gerddorion sy'n gallu canu'r offerynnau mewn cerddorfa. Mae rhai darnau ar gyfer cerddorfa yn rhai anodd iawn i'w dysgu'n berffaith ond rydym yn gwerthfawrogi gwaith yr arweinydd ac ymroddiad pob aelod o'r gerddorfa sydd yn rhoi mwynhad i ni.

Amen

Karl Jenkins

Schubert, Mozart, Handel, Brahms, Berlioz, Mendleson, Mahler, Strauss, Gluck, Holst, Sibelius, Verdi, Monteverdi, Palestrina, Tchikowsky, Chopin, Stravinsky, Elgar, - ychydig o enwau cyfansoddwyr o'r gorffennol. Roedden nhw i gyd yn dod o wahanol wledydd ac roedd cerddoriaeth pob un yn wahanol.

Roedd na lawer o gyfansoddwyr enwog o Gymru hefyd – pobol fel Joseff Parry, Parry Ddall Rhiwabon, Grace Williams, Morfydd Llwyn Owen, William Mathias a llawer o rai eraill.

Dyma i chi gerddoriaeth hollol fodern sydd wedi cael ei chyfansoddi gan Gymro o'r enw Karl Jenkins.

(Tâp neu CDd – "Adiemus")

Does dim ystyr i'r geiriau o gwbl, oherwydd nid ydyn nhw'n dod o unrhyw iaith arbennig. Does neb yn eu deall ond beth sy'n rhyfedd ydi hyn - mae pobol dros y byd i gyd yn mwynhau y gerddoriaeth a gyfansoddodd Karl Jenkins

Gweddi:
Rhoddwn ddiolch i Ti O Dad nefol am ein cyfansoddwyr Cymreig, rhai a gyfansoddodd yn y gorffennol a rhai sydd yn cyfansoddi heddiw. Diolch i Ti am yr hwyl a gawn wrth chwarae cerddoriaeth ac wrth wrando arni. Fel mae'r adar yn canu y cawn ninnau fwynhad hefyd wrth ganu mewn corau, dawnsio i guriad pop a chanu dy fawl mewn gwasanaeth.

Amen

Teisen

Yn union fel mae pawb yn paratoi at y Nadolig, mae na rai pobol hefyd yn paratoi at y Pasg. Yn syth ar ôl dydd Mawrth Crempog mae na gyfnod o 6 wythnos sy'n cael ei alw'n Garawys. Ar ddiwedd y Garawys, bydd Sul y Pasg. Tair wythnos cyn y Pasg mae Sul y Fam, diwrnod pryd bydd pawb yn rhoi blodau, siocled a chardiau i'w mamau er mwyn diolch am bob dim y mae nhw'n ei wneud i ni.

Ers talwm roedd rhai plant yn gwneud teisen arbennig fel anrheg i'w mamau. Enw'r deisen, ac mae llawer yn ei gwneud heddiw, yw Simnel. Dyma i chi stori am y deisen.

Un tro roedd na ddyn o'r enw Simon ac enw ei wraig oedd Nel. Roedd y ddau'n gwneud teisen ond roedden nhw'n dadlau am y ffordd orau i'w choginio.

Simon:	Dw i'n meddwl y dylen ni ei berwi hi.
Nel:	Dw i'n meddwl y dylen ni ei phobi hi.
Simon:	Ei berwi hi!
Nel:	Ei phobi hi!

O'r diwedd dyma nhw'n ei berwi hi ac wedyn yn ei phobi hi. Dyna pam y cafodd y deisen ei galw yn deisen Simnel - Sim/Nel

Sul y Fam

"Dylid ei berwi"
Meddai Seimon wrth Nel.
"Dylid ei phobi"
Oedd awgrym Nel,
Teisen arbennig at Sul y Fam –
Dadlau a mynnu gweithredu'r ddau gam.
A dyna paham rhwng Simon a Nel
Y galwyd y deisen yn deisen Sim-Nel.

Gweddi:

O Dduw, diolch i Ti am mam sy'n gofalu amdanaf bob dydd. Diolch am ei chariad ac am bob peth a wna er mwyn i mi gael byw bywyd llawn. Helpa fi i ddangos fy ngwerthfawrogiad ohoni yn amlach, yn enw Iesu Grist.

Amen

Wyau

Oeddech chi'n gwybod fod pobol a phlant yn arfer rhoi wyau i'w gilydd, flynyddoedd cyn i Iesu Grist gael ei eni? Dyna sut oedd pawb yn dathlu diwedd y Gaeaf a dechrau'r Gwanwyn, y tymor pan mae na fywyd newydd, - cywion bach, cwningod bach, blodau'n tyfu yn y caeau a dail yn tyfu eto ar y coed. Mae Cristnogion, pobol sydd yn credu yn Iesu Grist, hefyd yn rhoi wyau fel anrhegion adeg y Pasg oherwydd fod Pasg yn cael ei gyfri fel yr adeg y gwnaeth Iesu Grist ddechrau byw bywyd newydd.

Rydan ni'n arfer rhoi wyau siocled fel anrhegion ond ers talwm roedd pobol yn paentio wyau cyn eu rhoi. Yn Ffrainc ers talwm roedd wyau yn cael eu gwneud o glai tenau cyn eu lliwio. Tu fewn i'r ŵy roedd na anrheg werthfawr. Yn Rwsia roedd crefftwr o'r enw Faberge yn gwneud a phaentio un ŵy bob blwyddyn a'i roi fel anrheg i'r Tsar – sef Brenin Rwsia ar y pryd.

Heddiw yn y wlad hon a llawer o wledydd eraill mae rhai pobol yn cuddio wyau yn yr ardd, a dyna hwyl yw mynd o amgylch y llwyni a'r coed yn casglu wyau.

Pwy sy'n eu cuddio tybed?

Gweddi:
Mae'r Pasg yn adeg hapus iawn oherwydd fod Iesu Grist wedi atgyfodi ar ôl iddo farw. Bendithia ein gweithgareddau ni er mwyn i ni gael hwyl wrth ddathlu Gŵyl arbennig iawn.

Amen

Gêmau

Mae'r ysgolion yn cau am wyliau adeg y Pasg a phawb yn dathlu mewn gwahanol ffyrdd.

Ers talwm roedd plant yn chwarae efo wyau a oedd wedi eu berwi'n galed. Y gamp oedd eu rholio i lawr llethr serth i weld pa un oedd yr olaf i gracio. Yn America mae miloedd o bobol yn rholio wyau dros y lawnt yng ngardd y Tŷ Gwyn lle mae'r Llywydd yn byw. Y gamp yw gweld pa ŵy sy'n mynd bellaf. Yn Ffrainc mae bechgyn yn taflu wyau i'r awyr ac yn ceisio eu dal cyn iddyn nhw dorri wrth ddisgyn ar y llawr.

Mewn llawer o wledydd gan gynnwys Cymru mae wyau yn cael eu cuddio yn y gerddi. Bydd rhai plant yn gwneud nyth fach yn barod i dderbyn yr wyau. Pwy sy'n cuddio'r wyau? Mae rhai yn dweud mai Sgwarnog y pasg. Dyna pam mae cwningen yn cael ei chysylltu efo'r Pasg.

Gweddi:
Wrth i ni baratoi at Ŵyl y Pasg, diolchwn i Ti O Dduw am yr hwyl a gawn yn derbyn a chwilio am wyau siocled. Gwna i ni ddeall beth yw gwir ystyr y Pasg i bawb sy'n credu yn Iesu Grist.

Amen

Penwythnos y Pasg

Mae penwythnos y Pasg yn cychwyn ar ddydd Gwener y Groglith – y diwrnod y bu Iesu Grist farw ar y groes. Ar y dydd Sadwrn, bydd prysurdeb ymhob man pan fydd pobol yn paratoi at y Pasg ei hun – pobol yn siopa bwyd, pobl yn addurno Eglwysi a Chapeli efo blodau prydferth. Ar ddydd Sul y Pasg bydd amryw yn mynd i wasanaeth mewn lle o addoliad i gofio fod Iesu Grist wedi atgyfodi. Mae'n ddiwrnod hapus iawn. Mewn rhai trefi bydd rhai pobol yn gorymdeithio drwy'r strydoedd gan ddawnsio yn eu dillad crand.

Bydd llawer o bobol yn cynnal cystadlaethau tebyg i "Pwy sy'n gwisgo'r het orau?" A'r diwrnod ar ôl y Pasg, bydd pobol yn ymlacio, - mynd i weld gêm bêl droed, neu geffylau yn rasio, neu efallai dim ond diogi a chael picnic. Beth fyddwch chi'n ei wneud yn ystod gwyliau'r Pasg?

Gweddi:
O Arglwydd Iesu, mor braf yw dathlu dy atgyfodiad ar Sul y Pasg. Diolch i Ti ein bod yn medru dathlu fel miloedd o bobol eraill yn y byd. Diolch am yr hwyl a'r hapusrwydd.

Amen

Bwyd Arbennig

(Cyfarpar gweld – Bynsan y Groglith)

Pwy sydd wedi blasu un fel hon rywbryd? Mae nhw'n cael eu gwerthu yn y siopau ymhell cyn y Pasg, ond math o fara ydi hwn – bynsan efo sbeisis a chyraints ynddi, efo siâp croes ar y rhan uchaf.

Ers talwm cyn bod yna rewgell nac oergell roedd y byns yma yn cael eu gadael yn y popty i galedu. Wedyn yn ystod y gaeaf byddai'r bara yn cael ei falu'n fân i wneud ffisig ar gyfer morwyr rhag ofn iddyn nhw fynd yn sâl ar y môr.

Ganrifoedd yn ôl roedd pobol yn gwneud byns fel hyn ar fore dydd Gwener y Groglith. Mae'r groes hon wedi ei gwneud allan o bâst arbennig ac mae'n atgoffa pawb sydd yn credu yn Iesu Grist mai ar ddydd Gwener y Groglith y gwnaeth o farw ar y groes.

Gweddi:
O Arglwydd Iesu, mae darllen am beth a ddigwyddodd i Ti cyn y Pasg yn ein gwneud yn drist iawn. Mae hyd yn oed bwydydd fel y byns cyrraints yn ein hatgoffa am hyn, ond beth sydd yn bwysig i ni yw'r hapusrwydd a ddaw ar Sul y Pasg pan fyddwn yn cofio dy fod Ti wedi atgyfodi.

Amen

Y daith i Jerwsalem

(Adnoddau – deilen palmwydd, neu groes palmwydd)

Roedd na bentref o'r enw Bethania wrth ymyl dinas Jerwsalem. Roedd Iesu Grist a'i ddisgyblion yn cerdded tua'r ddinas. Gofynnodd Iesu i ddau o'r disgyblion fynd i gael ebol asyn iddo. Eisteddodd ar gefn y mul a theithiodd tua Jerwsalem.

Roedd torf o bobl wedi casglu i'w groesawu. Roedden nhw'n taflu eu clogynnau o'i flaen, yn chwifio dail o'r coed palmwydd ac yn gweiddi Hosanna, Hosanna. Pan gyrhaeddodd Iesu'r ddinas roedd llawer o bobol eraill yn gofyn pwy oedd y dieithryn a oedd yn cael y fath groeso a'r ateb oedd "Iesu o Nasareth."

Dyma i chi ddeilen palmwydd sydd wedi dod o Balestina. Mae hi ar siâp croes. Os gwna i ei hagor allan fe welwch mai un ddeilen hir denau ydi hi. Mae na bobol dlawd yn Affrica a lleianod ym Mhalestina sydd yn casglu'r dail yma ac yn eu gwneud yn siâp croes, i chi a fi gael cofio am Iesu Grist, y gwaith da a wnaeth, sut y gwnaeth o farw yn ifanc a sut y gwnaeth o atgyfodi wedyn.

Ar Sul y Blodau mewn eglwysi trwy'r wlad, mae na gannoedd o bobol sy'n derbyn croes wedi cael ei gwneud o ddeilen y goeden balmwydd, er mwyn cofio beth ddigwyddodd i Iesu Grist adeg y Garawys a'r Pasg. Yn ôl traddodiad bydd hon yn cael ei chadw'n ofalus am yn agos i flwyddyn. Pan ddaw Dydd Mercher Lludw yn y flwyddyn ganlynol bydd rhai pobol yn llosgi'r groes a rhoi'r llwch ar eu talcen er mwyn cofio fod Iesu Grist wedi marw drosom ni a'n pechodau.

(Gellir chwarae rhan o'r Corws 'Hosanna, Hosanna' allan o'r sioe Jesus Christ Superstar.)

Gweddi:
Draw yng Ngwlad yr Iesu ac mewn rhannau o Affrica mae na leianod a phobl dlawd yn casglu dail palmwydd ac yn gwneud miloedd o groesau i'w rhannu ar Sul y Blodau. Diolchwn i Ti fod y lleianod hyn yn gwneud i ni gofio am yr amser trist hwn ym mywyd dy Fab Iesu Grist.

Amen

Y Swper Olaf

Roedd na amryw o bobol a oedd yn eiddigeddus iawn o Iesu Grist a'r holl wyrthiau a oedd yn eu gwneud. Gwyddai'r Iesu hyn a galwodd ei ddeuddeg disgybl (sef ei ffrindiau gorau) i gael swper efo fo mewn ystafell yn Jerwsalem. Bara a gwin oedd i swper y noson honno. Rhannodd Iesu'r bara rhwng pawb ac yna rhannodd y gwin. Aeth wedyn i gael lliain a golchodd draed y disgyblion ac wedyn eu sychu. Roedd y disgyblion wedi dychryn oherwydd fel arfer swydd gwas bach oedd golchi'r llwch oddi ar draed pobol eraill.

Wedyn fe ddywedodd Iesu Grist wrth ei ffrindiau fod un ohonyn nhw'n elyn iddo ac yn bwriadu ei fradychu. Y swper hwnnw oedd yr olaf a gafodd yr Iesu efo'i ffrindiau ac ers hynny mae Cristnogion ymhob rhan o'r byd yn cael gwasanaeth arbennig a elwir yn Gymun. Yn y gwasanaeth hwnnw bydd bara a gwin yn cael eu bendithio a'u rhannu, a bydd pawb yn cofio am y Swper olaf hwnnw yn Jerwsalem yn agos i ddwy fil o flynyddoedd yn ôl.

Gweddi:

O Arglwydd Iesu roedd noson y Swper Olaf hwnnw yn un trist iawn i'r disgyblion ac i Ti. Byddwn ninnau yn cofio'r noson honno bob tro y bydd 'na wasanaeth Cymun mewn capel neu eglwys. Byddwn hefyd yn cofio dy fod wedi atgyfodi ymhen tri diwrnod, a bod amser hapus wedi dilyn y tristwch.

Amen

Gardd Gethsemane

Ar ôl y Swper Olaf aeth Iesu a'i ddisgyblion i Ardd Gethsemane. Gofynnodd yr Iesu i Pedr, Iago a Ioan, tri o'r disgyblion, wylio wrth ymyl tra oedd o'n gweddïo ar Dduw. Ar ôl iddo weddïo aeth yn ôl atyn nhw ond roedd y tri yn cysgu. Roedd yr Iesu wedi ei siomi a cheryddodd ei ffrindiau am beidio aros yn effro. Fe ddigwyddodd hyn ddwy waith wedyn.

Yn sydyn roedd nifer o oleuadau yn goleuo'r ardd a daeth Jiwdas, un o'r disgyblion o'r tywyllwch â nifer o filwyr tu cefn iddo. "Dyma'r dyn", meddai Jiwdas a chusanu'r Iesu. Yna aeth y milwyr â'r Iesu allan o'r ardd, ac at Caiaphas a Phontiws Peilat. Ar ôl cael ei holi a'i chwipio, aeth y milwyr â fo at fryn o'r enw Golgotha ac yno y bu Iesu Grist farw ar y groes. Roedd o'n 33 oed. Dywedodd un o'r milwyr a oedd yn ymyl, "Mab Duw oedd hwn."

Yna daeth dyn o'r enw Joseff o Arimathea a threfnu fod Iesu Grist yn cael ei gladdu mewn ogof yn ei ardd o. Rhoddwyd carreg fawr o flaen ceg yr ogof a rhoddodd Peilat filwyr yno hefyd i ofalu fod neb yn mynd i mewn i'r ogof.

Gweddi:
Gwna i ni gofio O Dduw dy fod wedi trefnu'n ofalus na fyddai dim yn rhwystr i Iesu Grist atgyfodi ar Sul y Pasg, ac oherwydd y Sul arbennig hwnnw nad oes dim yn rhwystro i bawb yn y byd gredu ynot Ti.

Amen

Sul y Pasg

Bore ma mi ddeffrais yn fuan iawn ac edrychais trwy'r ffenest. Roedd hi'n bump o'r gloch. Fedrwn i ddim mynd yn ôl i gysgu, felly codais a mynd am dro i ben y bryn sydd wrth ymyl fy nhŷ. Roedd yr awyr yn dechrau goleuo a gwelais yr haul yn codi. Wrth fy mhen roedd adar bach yn hedfan o gwmpas ac o'r goedwig wrth ymyl gwrandewais ar adar eraill yn canu fel pe bae nhw'n falch o gael diwrnod newydd. O bryd i'w gilydd gwelais gwningod yn chwarae efo'i gilydd o amgylch y llwyni. Roedd blodau gwyllt yn tyfu yn y gwair a dail yn tyfu ar y coed.

Dwy fil o flynyddoedd yn ôl roedd na fore tebyg tu allan i Jerwsalem – y wawr yn torri a'r adar a'r anifeiliaid bach yn deffro at y dydd. Y bore hwnnw, roedd Mair mam yr Iesu, Mair Magdalen a Salome wedi mynd i'r ardd lle roedd Iesu Grist wedi cael ei gladdu. Y noson cynt roedd carreg fawr wedi cael ei rhoi o flaen yr ogof ond yn y bore roedd y garreg wedi cael ei symud ac roedd y bedd yn wag. Does neb yn gwybod pwy symudodd y garreg oherwydd roedd na filwyr yno trwy'r nos yn gwylio fod neb yn mynd yn agos at yr ogof.

Roedd na ddyn wedi ei wisgo mewn dillad gwyn yn sefyll wrth ymyl y bedd. "Tydi'r Iesu ddim yma" meddai. "Mae o wedi atgyfodi. Ewch i ddweud y newyddion da wrth bawb." Os ydych chi wedi cael newydd da rywdro, efallai eich bod fel fi eisiau deud wrth bawb. Felly yr oedd Mair, Mair Magdalen a Salome y bore hwnnw. Aeth y tair i ddweud y newyddion da wrth y disgyblion. Diwrnod arbennig iawn oedd hwnnw. Diwrnod y mae Cristnogion yn ei gofio ers hynny.

Gŵyl Y Pasg

Blodeuo'n dawel dan gynhesrwydd yr haul,
Coron o liwiau uwch cwrlid o ddail.

Gwthio trwy blisgyn a mentro o'i grud,
A gwyrth ei eni yn llonni ein byd.

Cytgan yr adar yn rhwygo trwy'r hedd
A deigryn llawenydd wrth wacter y bedd.

Gweddi:
Diolch i Ti, O Dduw, am ddangos gwyrth y Pasg i ni. Gwyddom fod Iesu o gwmpas o hyd er nad ydym yn ei weld. Gyrra ni allan yn ein llawenydd i ddweud y newydd da wrth bawb.

Amen

Ar y ffordd i Emaus

Pe tae rhywun yn dweud wrtho chi fod David Beckam yn dod i'r ysgol yma wythnos nesaf a fyddech chi yn fy nghredu? Mae'n anodd iawn gwybod pwy i'w gredu ambell dro.

Ar ôl i Mair, Mair Magdalen a Salome weld fod bedd yr Iesu'n wag, mi wnaethon nhw rannu'r newyddion da ond roedd na lawer o bobol ddim yn eu credu.

Yn fuan wedyn roedd na ddau o ddilynwyr Iesu yn cerdded ar hyd y ffordd i Emaus a oedd tua saith milltir tu allan i Jerwsalem. Roedd y ddau yn brysur yn siarad pan ddaeth person arall i gydgerdded efo nhw a gofyn "Pam ydach chi mor drist?" Atebodd Cleopas "Wyt ti ddim wedi clywed y newyddion am Iesu o Nasareth? Fe gafodd ei groeshoelio a heddiw mae'r bedd yn wag. Mae'r merched a welodd y bedd gwag yn dweud fod yr Iesu yn fyw. Dydan ni ddim yn gwybod beth i'w gredu."

Ar ôl cyrraedd Emaus gofynnodd y ddau ffrind i'r dyn dieithr aros i gael pryd o fwyd efo nhw. Wrth rannu'r bara wrth y bwrdd bwyd, fe wnaeth Cleopas a'i ffrind adnabod y person arall. Iesu Grist oedd o. Yr eiliad honno fe ddiflannodd o'r ystafell ac aeth y ddau ffrind yn ôl i Jerwsalem i ddweud yr hanes wrth y gweddill o'r disgyblion.

Gweddi:

O Arglwydd Iesu: Fe wnaethost Ti farw drosom, ac atgyfodi ar Sul y Pasg. Diolchwn er nad ydym yn dy weld dy fod o'n cwmpas yn barhaol, i wrando ar ein problemau a'n gweddïau, ac i rannu'r adegau trist a'r adegau hapus gyda ni bob amser.

Amen

Y Planedau

(Chwarae rhan o gerddoriaeth Planet Suite – Holst)

Mae'r gerddoriaeth yna wedi cael ei 'sgwennu gan ddyn o'r enw Gustav Holst yn 1916. Mae na saith darn i gyd o dan y teitl Planedau – un darn i bob planed. Ond wnaeth Holst ddim sgwennu darn am y ddaear er bod y ddaear yn blaned. Wnaeth o chwaith ddim sgwennu am Plwton oherwydd nad oedd neb wedi darganfod y blaned honno tan 1930.

Gan gynnwys y Ddaear rydan ni'n gwybod erbyn heddiw fod 'na naw planed i gyd ac mae'n eithaf posib fod na fwy ond fod neb wedi eu darganfod eto. Un o'r Sêr ydi'r haul ac mae'r naw planed yn cylchdroi o'i amgylch, rhai yn cymryd mwy o amser na'r gweddill.

Y blaned agosaf at yr haul yw Mercher. Planed greigiog ydi hi – tua'r un maint â'r lleuad. Nesaf at Mercher y mae planed Gwener. Mae arwyneb y blaned hon wedi ei orchuddio bob amser â thrwch o gymylau.

Y Ddaear yw'r drydedd blaned. Mae'n cymryd 365 a chwarter o ddyddiau (sef blwyddyn) i'r ddaear fynd o amgylch yr haul. Cyn belled ag y gwyddom, dim ond y Ddaear sydd â phobol yn byw arni.

Mawrth yw'r blaned nesaf – mae planed Mawrth yn hanner maint ein Daear ni. Planed oer iawn yw hi a does dim dŵr arni.

Y blaned fwyaf yw'r blaned Iau. Planed o nwyon ydi hi ac mae'n troelli mor sydyn fel bod rhai o'r nwyon yn ymestyn fel cylchoedd o'i chwmpas.

Planed fawr arall yw Sadwrn – mae Sadwrn eto yn bêl anferth o hylif hydrogen, efo rhubanau modrwyog o'i chwmpas.

Wranws yw'r seithfed blaned. Mae'r blaned mor bell oddi wrthym nid oes gennym lawer o wybodaeth amdani hi. Ni chafodd ei darganfod tan 1781. Erbyn hyn mae Voyager wedi bod yn ddigon agos ati hi i yrru lluniau o'r blaned yn ôl i'r ddaear.

Planed debyg i Wranws yw'r wythfed blaned – Neifion, a'r blaned leiaf ohonyn nhw i gyd, Plwton yw'r bellaf oddi wrth yr haul – dyna pam mae'n cymryd 248 o flynyddoedd iddi hi droelli o amgylch yr haul. Ar ôl i Holst gyfansoddi ei gerddoriaeth, y cafodd Plwton ei ddarganfod. Mae gwyddonwyr yn dal i chwilio am ychwaneg o blanedau sydd yn bellach eto, ac yn debygol o ddarganfod mwy o ryfeddodau yn y gofod.

Gweddi:

Dim ond y lleuad a'r sêr a welwn ni yn y nos ond gwyddom fod dy Greadigaeth Di O Dduw yn ymestyn ymhellach. Mae'n bosib fod planedau yn y gofod sydd heb gael eu darganfod eto oherwydd eu bod mor bell i ffwrdd. Ni allwn ond rhyfeddu at wyrth y Creu.

Amen

Lleoliad y ddaear

(Angen un bêl fawr ac un bêl fach)

Cafodd ein Daear ni ei ffurfio fel pelen o graig tua 4,500 miliwn o flynyddoedd yn ôl. Y Ddaear yw'r unig blaned sydd efo moroedd a chefnforoedd. Mae dros ddwy ran o dair o'n byd ni yn ddŵr, a'r rhan fwyaf o hwnnw yn ddŵr môr – sef dŵr hallt. Pe bae ni'n torri'r byd yn ei hanner mi fyddan ni'n gweld pedair haen. Yn y canol mae 'na graidd mewnol a chraidd allanol o'i amgylch. Wedyn mae 'na haen o greigiau poeth ac enw honno ydi mantell. O gwmpas y cyfan mae'r gramen, sef trwch o greigiau o bob math. Ambell dro bydd y gramen yn ffrwydro a bydd lafa poeth yn llifo allan o'r mynydd – dyna beth yw llosgfynydd.

(Plentyn i ddal pêl fawr – felen os yn bosib; Plentyn arall i ddal pêl fach, neu oren, a symud y bêl fach o amgylch y bêl fawr.)

Dyma'r haul (y bêl fawr) a dyma'r ddaear (y bêl fach). Bydd y ddaear yn troelli, ac ar yr un pryd bydd yn teithio o gwmpas yr haul ac yn cymryd blwyddyn i wneud hynny.

Yn perthyn i'n daear ni mae 'na hefyd Leuad.

Gweddi:
Addolwn Di O Dduw am greu'r haul a'r planedau. Diolchwn i Ti yn arbennig am ein daear ni a phob peth byw sydd arni – coed, llysiau, blodau, adar, pysgod, anifeiliaid a ninnau dy bobl. Mae ein bywydau yn dibynnu ar wres yr haul, trwy gydol y flwyddyn.

Amen

Y Lleuad

Yn union fel y mae'r ddaear yn cylchdroi o gwmpas yr haul, mae'r lleuad hefyd yn cylchdroi o gwmpas y ddaear. Bydd y lleuad yn cymryd 27 diwrnod i wneud hynny – dyna pam y bydd y lleuad yn mynd trwy gyfnodau o edrych yn wahanol bob mis. Ambell dro, mae'r lleuad a elwir yn lleuad newydd yn **edrych** fel siâp banana (ffrwchnedd) – dro arall mae'n grwn – dyna pryd y byddwn yn dweud lleuad lawn. Tybed a **ydi'r** lleuad yn siâp ffrwchnedd ambell dro? Dw i ddim yn meddwl! Pam tybed mae'n ymddangos felly? Dyma dasg fach i chi ar ôl y gwasanaeth - darganfod pam!

Yn 1959 fe yrrodd y Rwsiaid beiriant profydd gofod i lanio ar y lleuad. Ym mis Gorffennaf 1969 fe laniodd yr Americanwyr Neil Armstrong ac Edwin Aldrin, ac roedd pawb yn cael gwefr o'u gweld yn cerdded ar y lleuad. Ers hynny fe gasglodd y gofodwyr a laniodd ar y lleuad yn Apollo 17 samplau o bridd a chreigiau.

Ar ôl gwneud arbrofion ar y samplau daeth gwyddonwyr i'r casgliad fod y creigiau ar y lleuad yn debyg i'n creigiau ni ar y ddaear, ond mae'n ymddangos nad oes neb wedi byw ar y lleuad eto. Tybed a fydd rhywun yn gallu byw ar y lleuad neu un o'r planedau eraill yn y dyfodol?

Gweddi:
Wrth edrych yn nhawelwch y nos ar y lleuad a'r sêr rhyfeddwn fod gofodwyr yn gallu cyrraedd y lleuad a gwneud cymaint o bethau technolegol yn y gofod. Diolchwn am y misoedd a'r drefn o weld y lleuad yn newydd ac wedyn yn llawn bob mis o'r flwyddyn.

Amen

Hanes Clociau

(Adnoddau - oriawr, cloc, hen gloc, amserydd ŵy, llun yr haul.)

Pan oedd y dyn cyntaf yn byw ar y ddaear yn oes y cerrig, yr unig ffordd yr oedd o'n gwybod beth oedd yr amser oedd gweld ei bod hi'n ddydd pan oedd 'na oleuni, a'i bod hi'n nos pan oedd na dywyllwch.

Pan oedd y Rhufeiniaid yn bod, tua 700 mlynedd cyn i Iesu Grist gael ei eni, dyma sut oedden nhw hefyd yn adnabod a mesur amser. Ond fe wnaethon nhw sylwi fod lleoliad yr haul yn wahanol drwy'r dydd a'i fod yn disgleirio yn uchel yn yr awyr tua chanol y dydd. Felly daeth dau ran i'r dydd —bore a phrynhawn.

Un diwrnod daeth rhywun â chloc haul o wlad Groeg i'r Rhufeinwyr a hwn oedd y cloc cyntaf a gafodd ei ddefnyddio i ddangos yr amser. Roedd y cloc hwnnw yn dibynnu ar ddisgleirdeb yr haul a hwnnw fyddai'n dangos cysgod ar wyneb y cloc. Fel roedd lleoliad yr haul yn newid, felly roedd y cysgod i'w weld yn symud ar wyneb y cloc.

Erbyn heddiw mae na bob mathau o glociau i'w cael, clociau mawr a chlociau bach, hen glociau a rhai modern, clociau analog a digidol, clociau trydan, clociau batri, clociau larwm, clociau radio, cloc sy'n rhoi'r amser dros y teliffôn, cloc ar y ffôn symudol, cloc ar y cyfrifiadur, clociau mewn gorsafoedd trafnidiaeth, oriawr fach ar fodrwy a channoedd o watsis o bob math i'w gwisgo ar eich garddwrn.

Yn Llyfr y Pregethwr yn yr Hen Destament mae na ddarn byr sy'n sôn am amser. Peidiwch â dweud eich bod chi'n rhy brysur i wneud rhywbeth arbennig. Mae na amser ar gyfer pob dim ond ambell dro mae'n rhaid i chi ddefnyddio eich amser yn ddoeth.

Dyma'r darlleniad:
"Y mae tymor i bob peth, ac amser i bob gorchwyl dan y nef:
Amser i eni, ac amser i farw
Amser i blannu, ac amser i ddiwreiddio'r hyn a blannwyd;
Amser i ladd, ac amser i iacháu,
Amser i dynnu i lawr, ac amser i adeiladu;
Amser i wylo, ac amser i chwerthin,
Amser i alaru, ac amser i ddawnsio,
Amser i daflu cerrig, ac amser i'w casglu,

Amser i gofleidio, ac amser i ymatal,
Amser i geisio, ac amser i golli,
Amser i gadw, ac amser i daflu ymaith,
Amser i rwygo, ac amser i drwsio,
Amser i dewi, ac amser i siarad,
Amser i garu, ac amser i gasáu,
Amser i ryfel, ac amser i heddwch."

Gweddi:
Dysg ni O Dduw fod amser yn rhodd werthfawr i ni. Mae na gymaint y gallwn ei wneud yn yr amser hwnnw i helpu eraill o'n cwmpas.

Amen

Cysgodion

(Heb eu dangos i'r plant, rhoi gwrthrychau fesul un ar y taflunydd a chael y plant i ddyfalu beth ydi'r gwrthrych)

Roedd yn anodd adnabod rhai o'r gwrthrychau yna oherwydd mai dim ond math o gysgod yr oeddech chi'n ei weld. Mae modd gweld cysgodion pan fydd hi'n ddiwrnod braf, heulog. Mae golau yn mynd trwy rai pethau fel gwydr ond os nad ydi'r golau yn gallu mynd trwy rywbeth, mae'n ffurfio cysgod.

1. Mae gen i gysgod ambell dro. Dim ots pa liwiau ydi'r dillad dw i'n eu gwisgo, yr un lliw ydi fy nghysgod. Mae o bob tro yn ddu.

2. Dw i'n hoffi dawnsio a neidio a thrio dal fy nghysgod. Pan fyddaf yn rhedeg, bydd fy nghysgod yn symud efo fi.

3. Pan mae'r haul yn uchel yn yr awyr bydd fy nghysgod yn fyr. Pan mae'r haul yn isel yn yr awyr, bydd fy nghysgod yn hir.

4. Dw i'n hoffi gwneud cysgodion trwy wneud siapiau efo fy nwylo. Bydd gen i olau lamp sy'n dangos y cysgodion ar y wal.

Gweddi:
Ambell dro O Dduw mae na gysgod o dristwch yn dod dros rai pobl. Cysura bawb sydd yn anhapus ac arwain nhw at ddyddiau gwell.

Amen

Y Brodyr Wright

Miloedd o flynyddoedd yn ôl yng Ngwlad Groeg, roedd na ŵr ifanc o'r enw Icarws. Roedd o'n mynnu y gallai hedfan at yr haul. Doedd neb wedi hedfan o'r blaen ond roedd o'n benderfynol o lwyddo.

Fe ddefnyddiodd gŵyr i wneud adenydd mawr yr un siâp â rhai aderyn. Aeth Icarws i fyny wedyn i ben mynydd a oedd wrth ymyl. Rhoddodd yr adenydd o gŵyr ar ei freichiau a cheisiodd hedfan at yr haul, ond doedd Icarws ddim wedi sylweddoli mai pelen o dân oedd yr haul ac fe doddodd y cŵyr. Wrth i'r cŵyr doddi, fe syrthiodd Icarws i'r ddaear oddi tano a chafodd ei ladd. Dyna oedd yr ymgais gyntaf i hedfan fel aderyn.

Tua chanrif yn ôl roedd na bobol wedi bod yn arbrofi yn yr Almaen ar sut i wneud gleider. Dau frawd a gymerodd ddiddordeb yn hyn oedd Orville Wright a Wilbur Wright. Cawsant y syniad o roi peiriant petrol ar gleider yn America ac ar Ragfyr 17, 1903, llwyddodd Wilbur Wright i hedfan am 59 o eiliadau.

Dwy flynedd wedyn llwyddodd Wilbur eto i gadw yn yr awyr am 38 o funudau. Yn 1908 llwyddodd i hedfan am ddwy awr ac ugain munud.

Pe bae y Brodyr Wright yn gweld ein Concorde ni heddiw, mi fydden nhw'n dychryn. Ond dylem gofio mai nhw oedd y cyntaf i ddyfeisio ffordd o hedfan yn llwyddiannus.

Gweddi:
Diolchwn i Ti O Dduw am geir, awyrennau, trenau, bwsiau, cychod, beiciau modur a beiciau. Rhoddwn ddiolch i bawb a fu'n gyfrifol am eu dyfeisio.

Amen

George a Robert Stephenson

Tad a mab oedd George a Robert Stephenson. Pan oedd o'n ifanc iawn aeth George i weithio ar fferm. Roedd wrth ei fodd yn gweld sut oedd peiriannau yn gweithio. Yn ei amser hamdden byddai'n trwsio clociau.

Yn 1814 dyfeisiodd "injan stêm symudol" neu locomotif i dynnu wagenni mewn pwll glo. Yn 1825 teithiodd y locomotif stêm gyntaf a chario teithwyr ar reilffordd o Darlington i Stockton. George Stephenson ei hun oedd yn gyrru'r trên. Y trên pwysicaf a wnaeth oedd trên o'r enw Rocket. Roedd wedi cael help ei fab Robert i'w adeiladu.

Codi pontydd oedd prif ddiddordeb Robert a gwelodd os oedd trenau am deithio o Lundain i Gaergybi fod yn rhaid cael pont i groesi Afon Conwy a phont arall i groesi Afon Menai.

Syniad Robert oedd defnyddio tiwbiau haearn i wneud pont. Y bont gyntaf a wnaeth ar gyfer trenau oedd y bont yng Nghonwy ac roedd yr un cynllun yn addas i groesi'r Fenai hefyd. Efo'r bont dros y Fenai, adeiladwyd pedwar twˆr i ddal y bont ac ar ddau ohonyn nhw roedd pâr o lewod wedi eu cerflunio. Cafodd y gwaith ei orffen yn 1850. Erbyn heddiw mae priffordd wedi cael ei hadeiladu uwchben y rheilffordd.

Dyma beth a ysgrifennodd y Bardd Cocos am y llewod:

> "Pedwar llew tew,
> Heb ddim blew,
> Dau yr ochr yma
> A dau yr ochr drew."

Yna adeiladodd Robert bont anferth arall dros Afon Sant Laurent yng Ngogledd America, ond yn anffodus bu Robert farw cyn cael gweld y trên cyntaf yn ei chroesi.

Gweddi:
Diolch am bobl fel George a Robert Stephenson a'u hymroddiad i ddyfeisio trenau ac adeiladu pontydd. Dysg ni i fod yn ofalus wrth ymyl cledrau trên yn enwedig wrth eu croesi, a byth i chwarae ar y cledrau.

Amen

Marconi

Ar un adeg yr unig ffordd i yrru negeseuon o le i le (heblaw llythyrau) oedd trwy ddefnyddio côd Morse, sef cyfres o ddotiau a dashiau a oedd yn cael eu defnyddio ers talwm efo golau neu sain. Arwyddion a oedd yn cael eu gwneud efo breichiau a fflagiau oedd côd Semaffor.

(Gellir dangos un neu ddwy o enghreifftiau.)

Yn yr Eidal roedd na ddyn o'r enw Guglielmo Marconi a oedd yn arbrofi efo gwifrau er mwyn gyrru neges. Ni chafodd lawer o gefnogaeth, felly daeth i Loegr i drafod ei arbrofion efo prif beiriannydd system Telegraff Swyddfa'r Post.

Yna ar ôl mwy o arbrofi daeth Marconi i Drwyn Larnog yn Ne Cymru. Llwyddodd heb wifrau i yrru signalau oddi yno i Weston Super Mare yng Ngwlad yr Haf. Roedd y signalau yn teithio trwy'r awyr o dransmiter syml ac yn cael eu codi gan dransmiter arall.

Yn 1901 anfonodd Marconi y signalau cyntaf ar draws cefnfor Iwerydd rhwng Cernyw a Newfoundland. O'r adeg hynny ymlaen fe ddaeth y radio yn boblogaidd. Erbyn heddiw mae dyfeiswyr eraill wedi llwyddo i yrru a derbyn negeseuon trwy gyfrwng lloeren.

Gweddi:
Diolch i Ti O Dduw am bobl fel Marconi a wnaeth ddarganfod ffordd o yrru gwybodaeth trwy gyfrwng radio. Roedd hynny gant o flynyddoedd yn ôl. Rho'r un doniau i wyddonwyr y dyfodol. Er mwyn Iesu Grist.

Amen

Alexander Graham Bell

Ers talwm dim ond un ffordd oedd na i yrru negeseuon – sef llythyr. Cyn bod ceir a threnau roedd yn cymryd cryn dipyn o amser i lythyr gyrraedd pen y daith. Fel arfer roedd llythyrau yn cael eu cludo gan geffylau a choets fawr. Ond heddiw mae pethau'n wahanol. Fedrwch chi enwi y gwahanol ffyrdd y gallwch chi yrru neges? (Llythyr, radio, teledu, ffôn, ffôn symudol, ar y we, ag E bost.)

Tua chant a hanner o flynyddoedd yn ôl fe anwyd dyn o'r enw Alexander Graham Bell. Gwyddonydd oedd o. Ar ôl bod yn y brifysgol, sefydlodd ysgol ar gyfer athrawon a oedd eisiau dysgu plant a phobol a oedd yn fyddar. Efallai mai'r diddordeb mewn dysgu pobol fyddar a wnaeth iddo arbrofi ar sut y gallai pobol fyddar drosglwyddo negeseuon.

Sylweddolodd Bell fod sŵn yn gallu gwneud i wifren ddirgrynu ac ar ôl cryn dipyn o arbrofi a gyda chymorth trydanwr o'r enw Thomas Watson, fe ddyfeisiodd y teliffon cyntaf yn 1876. Erbyn heddiw mae defnydd o'r teliffon wedi newid cryn dipyn. Mae'r mwyafrif o bobl rwan efo ffôn symudol. Hefyd ar system teliffon y mae modem ein cyfrifiadur yn gweithio.

Gweddi:
Diolch Dad nefol am yr holl ddyfeiswyr a fu yn y gorffennol, rhai sydd wrth arbrofi a llwyddo, wedi gwneud ein bywydau ni heddiw yn fwy cyfoethog.

Amen

Y Brodyr Kellogg

(Angen bocs o greision ŷd Kellogg)

Bore ma mi gefais i fowlen o greision ŷd i frecwast. Mae'r bocs yma wedi dod o ffatri. Ydach chi wedi meddwl erioed sut y cafodd creision ŷd eu gwneud? Dyma stori dyn o'r enw John Harvey Kellogg.

Pan oedd John Harvey Kellogg yn hogyn bach, arferai gael crempogau poeth a thriog i frecwast bob bore. Cafodd John Harvey ei eni yn America tua 100 o flynyddoedd yn ôl. Roedd na 16 o blant yn y teulu. Ar ôl iddo dyfu i fyny gweithiodd fel meddyg. Roedd o a'i frawd Will Keith efo diddordeb mewn darganfod bwydydd iach. Roedd y ddau yn cael cryn dipyn o hwyl yn arbrofi efo gwahanol fwydydd. Un diwrnod fe wnaeth y ddau ddarganfod sut i wneud menyn cnau, ond roedd Doctor John eisiau darganfod math newydd o fara a fyddai'n flasus efo'r menyn cnau.

Ar ôl berwi gwenith a dŵr mewn sosban anferth ac yna gadael iddo oeri, fe geisiodd y ddau roi'r gymysgedd trwy beiriant tebyg i fangl. Ar ôl i'r gymysgedd fynd heibio'r roleri roedd yn un swp gludiog. Siomwyd y ddau a rhoddodd Will Keith y gymysgedd o'r neilltu mewn casgen fawr.

Ymhen tua wythnos, ceisiodd y ddau roi'r gymysgedd eto trwy'r un peiriant. Y tro hwn daeth cymysgedd a oedd yn edrych fel creision allan o'r peiriant. Rhoddodd y ddau frawd rai o'r creision mewn popty am ychydig o funudau ac ar ôl eu tynnu allan o'r popty roedd lliw melyn arnyn nhw ac roedden nhw wedi sychu'n grimp.

Arhosodd John Harvey Kellogg fel meddyg yn yr ysbyty ond fe adeiladodd Will Keith Kellogg ffatri i wneud creision ŷd. Cyn bo hir roedd wedi dyfeisio ffordd o wneud *Rice Krispies* ac *All Bran*. Roedd Will Keith eisiau helpu pobol llai ffodus. Felly ar ôl gwneud miliwn o bunnoedd, fe'i rhannodd rhwng plant anghenus, ysgolion ac ysbytai.

Gweddi:
Diolch i Ti O Dduw am yr amrywiaeth o fwydydd a gawn bob pryd bwyd. Gwna i ni sylweddoli mai peirianwaith mewn ffatrïoedd sydd yn paratoi'r mwyafrif o'n bwydydd parod, ond wedi cael eu paratoi mae nhw o'r planhigion ac anifeiliaid a greaist Ti.

Amen

Glendid

Os edrychwch chi o gwmpas fe welwch chi fod pob un ohonom yn wahanol, - lliw gwallt, lliw llygaid, taldra, pwysau, oed, a.y.y.b. Mae pob un ohonom efo corff a'n dyletswydd ni yw edrych ar ei ôl, a gofalu ei fod o'n gorff iach.

Cannoedd o flynyddoedd yn ôl roedd llawer o bobol yn marw'n ifanc, yn aml iawn oherwydd tlodi a salwch. Heddiw mae na Wasanaeth Iechyd sy'n gofalu fod plant yn cael brechfeydd yn erbyn salwch, ond mae na gryn dipyn y medr pob unigolyn ei wneud i helpu i gael corff a bywyd iach.

1. Y mae cadw'n lân yn bwysig i gael corff iach. Os nad ydan ni'n cadw ein hunain yn lân bydd bacteria yn ein gwneud yn sâl.

2. Mae'n bwysig cael bath neu gawod mor aml ag sy'n bosib. Dylid hefyd cadw'r gwallt yn lân a'i frwsio'n dda bob bore.

3. Mae'n bwysig golchi'ch dwylo ar ôl bod yn chwarae efo anifeiliaid, cyn bwyta bwyd, ac ar ôl bod yn y toiled.

4. Mae'n bwysig hefyd newid a golchi dillad yn aml neu mi fydden nhw'n ogleuo.

Gweddi:
Rhoddwn ddiolch i Ti O Arglwydd fod gennym ddŵr wrth law o hyd yn ein cartrefi. Gwna i ni sylweddoli ein bod yn ffodus iawn. Cofia am y plant bach mewn rhai gwledydd sydd yn yfed dŵr budr o'r afon oherwydd nad oes cyflenwad dŵr yn eu pentrefi.

Amen

Bwyta'n iach

Os nad ydi blodyn yn cael dŵr mae o'n marw.

Os nad ydach chi'n cael bwyd, wnewch chi ddim byw.

Os gwnewch chi fwyta gormod, mi ewch yn rhy drwm a tydi gormod o bwysau ddim yn dda i'ch corff.

Os gwnewch chi ddim bwyta bwyd maethlon, ni fyddwch yn bwyta'n iach.

Beth ydi bwyta'n iach?

Bwyta'n iach ydi bwyta bwydydd sy'n dda i chi ac mae'n rhaid cael amrywiaeth o'r bwydydd hynny. Mae na ddeunyddiau arbennig mewn bwydydd – deunyddiau ydi rheini sy'n gwneud i'ch corff dyfu'n gryf ac yn iach.

Yn gyntaf, mae'n rhaid i'r corff gael proteinau, ac mae nhw i'w cael yn y bwydydd hyn: pysgod, cig, caws ac wyau – dyna'r math o fwydydd sy'n gwneud i chi dyfu.

Yn ail, mae'n rhaid i'r corff gael carbohydradau ac mae nhw i'w cael mewn bara, reis, pasta, tatws a siwgr.

Yn drydydd mae'n rhaid i chi gael ychydig o fraster ac fe'i cewch mewn menyn, caws, a margarîn. Hefyd ceir olew sy'n dda i'r corff mewn rhai mathau o bysgod. Y carbohydradau a'r braster sy'n eich gwneud yn gryf.

I'ch helpu i beidio â chael anwydau mae'n bwysig eich bod yn cael fitaminau – felly rhaid bwyta digon o lysiau a ffrwythau ffres fel y rhain, - moron, bresych, cennin, afalau, orennau, pys a.y.y.b.

Un bywyd sydd gennym ni ac i wneud yn fawr ohono rhaid bwyta'n iach.

Gweddi:

Am ffrwythau a llysiau O Arglwydd,	*Diolch i Ti.*
Am ŷd a gwenith O Arglwydd,	*Diolch i Ti.*
Am gig a physgod O Arglwydd,	*Diolch i Ti.*
Am wyau, menyn a chaws O Arglwydd	*Diolch i Ti.*
Am basta a thatws O Arglwydd,	*Diolch i Ti.*
Am ddŵr glân O Arglwydd	*Diolch i Ti*
Am bob dim da a roddaist i ni,	*Diolch i Ti.*

Amen

Gofal am y dannedd

Os oes gennych chi fabi bach ifanc yn eich teulu mi wyddoch cymaint o drafferth mae cael dannedd yn ei roi iddo fo.

Mae dannedd meddai rhai yn "drafferth i'w cael, yn drafferth i ofalu amdanyn nhw ac yn drafferth wrth eu colli." Felly mae'n bwysig gofalu'n iawn am eich dannedd, er mwyn eu cael am y rhan fwyaf o'ch bywyd.

Pan oeddech chi'n fabanod roeddech chi'n cael eich dannedd cyntaf pan oeddech tua blwydd oed. Wedyn pan ydach chi tua saith oed fe gollwch chi'r dannedd cyntaf 'na a bydd rhai newydd yn tyfu. Eich dannedd sydd yn malu bwyd yn eich ceg cyn i chi ei lyncu. Pe baech chi heb ddannedd byddai'n rhaid i chi fwyta bwyd meddal, neu gael dannedd gosod. Felly cadwch y rheolau hyn:

1. Dylech frwsio eich dannedd bob bore a phob nos cyn mynd i'ch gwely.

2. Dylech fynd at y deintydd yn rheolaidd.

3. Peidiwch â bwyta gormod o felysion na diodydd sy'n rhy felys. Mae gormod o siwgr yn gallu niweidio eich dannedd.

Gweddi:
Diolch am ddeintyddion sydd yn ein helpu i ofalu am ein dannedd. Diolch am yr ymwelydd deintyddol sydd yn dod o amgylch ysgolion i ddangos sut i frwsio'n dannedd ac yn egluro beth sydd yn debygol o ddigwydd i'n dannedd os nad ydym yn eu cadw'n lân.

Amen

Cadw'n heini

Fedr car ddim mynd heb betrol. Mae'ch corff hefyd angen bwyd er mwyn iddo weithio'n iawn, ond i gadw'r corff yn iach mae'n rhaid ei ymarfer. Tydi eistedd o flaen y teledu noson ar ôl noson ddim yn mynd i wneud neb yn iach.

1. Mi fydda i yn cerdded i'r ysgol ac wedyn yn cerdded adref ar ddiwedd y pnawn. Bob nos Fawrth byddaf yn mynd i nofio yn y pwll nofio yn .... Byddaf yn cael bathodyn am nofio pellter arbennig.

2. Bob bore dydd Sadwrn byddaf yn dysgu sut i chwarae pêl droed. Un waith y mis bydd ein tîm ni yn chwarae gêm yn erbyn tîm arall.

3. Dw i'n mynd i glwb gymnasteg bob nos Iau. Mae na lawer o gystadlaethau gymnasteg ac mae ein tîm ni wedi dechrau cystadlu.

4. Dw i'n dysgu karate. Mae karate yn gwneud fy nghoesau a'm traed yn gryf. Bob tro dw i'n llwyddo efo'r prawf byddaf yn cael gwregys lliw gwahanol.

5. Loncian, cerdded, nofio, pêl droed, pêl rwyd, tenis, criced, gymnasteg, karate, reidio beic – dyma rai o'r pethau sy'n gwneud y corff yn gorff iach.

Gweddi:
Mae'n braf cael nofio a cherdded a chwarae gemau. Mae pawb ohonom yn sylweddoli O Dduw mor ffodus yr ydym y gallwn gadw ein hunain yn iach. Cofiwn am y plant bach sydd ddim yn medru gwneud llawer o'r gweithgareddau hynny, oherwydd salwch neu anabledd.

Amen

Gwneud drwg i'r corff

Un bywyd sydd gennym ac mae'n bwysig felly ein bod yn byw yn iach. Dyma bethau sy'n ddrwg i ni ac yn niweidio y corff.

Ysmygu – wrth anadlu bydd aer yn mynd i'ch ysgyfaint – wrth ysmygu bydd mwg yn mynd i'r ysgyfaint ac ni fydd eich corff yn cael digon o ocsigen. Mae ysmygu hefyd yn gallu achosi cancr. Felly peidiwch byth â dechrau ysmygu.

Un peth sy'n digwydd efo ysmygu ydi hyn – unwaith mae rhywun wedi dechrau smocio mae'n anodd stopio – ac mae hynny'n wir am gyffuriau.

Byddwch yn gadarn ac yn gryf os ydi rhywun yn cynnig cyffuriau i chi. Mae na rai cyffuriau sydd yn ffisig neu foddion i'ch gwella os ydach chi'n sâl. Dyna beth fydd y meddyg yn ei roi i chi. Ond mae na gyffuriau eraill sydd yn niweidio eich ymennydd – dyna'r cyffuriau peryglus, ac mae nhw'n gallu gwneud i'ch meddwl fynd yn sâl. Mae nhw hefyd yn gallu eich lladd.

Felly cofiwch ddweud NA wrth ysmygu a chyffuriau.

Gweddi:
Dysg ni O Dad nefol i wrando ar gyngor da a pheidio â chael ein temtio i gymryd rhywbeth a all niweidio ein cyrff. Un bywyd sydd gennym ac mae'n ddyletswydd arnom gyda dy gymorth Di i fyw bywyd da.

Amen

Cymorth Cristnogol

Yn ystod mis Mai bob blwyddyn mae na nifer o bobol yn casglu arian ar gyfer gwaith da mae Cymorth Cristnogol yn ei wneud. Dyma i chi hanes Arsike sy'n byw mewn pentref yn ardal Mali yn Affrica.

Mae ardal Mali wedi ei lleoli ar dir sych iawn ac mae'r pentrefwyr yno yn dlotach na neb arall yn y byd.

Mae Arsike yn ceisio ffermio ond mae pob dim mae o'n dyfu yn marw oherwydd nad oes digon o law yn dod i ddyfrio'r tir. Mae pobol Mali angen dŵr glân i'w yfed.

Gelwir mis Awst yn 'ugo tugo' neu'r mis llwglyd. Dyma'r amser mae Arsike, ei deulu a'r cymdogion yn gadael eu cartrefi er mwyn chwilio am fwyd. Mae Arsike wedi gweld ei ffrindiau sâl yn marw cyn cyrraedd ysbyty oherwydd fod yr ysbyty agosaf yn cymryd tua chwe awr i fynd yno.

Dwy flynedd yn ôl gofynnodd Arsike i Gymorth Cristnogol am hadau reis. Cafodd Arsike ei ddysgu pryd i hau'r had, sut a phryd i'w ddyfrio, sut i dyfu coed er mwyn cael cysgod rhag yr haul, sut i ddefnyddio'r dail ar y coed fel gwrtaith. Roedd yn waith caled ond cyn bo hir roedd wedi tyfu saith sach o reis, wedyn naw sach ac wedyn un sach ar ddeg. Erbyn hyn mae Arsike wedi gwerthu ychydig o'r reis am ddefaid. Mae wedi gwerthu'r defaid i brynu peiriant gwnïo i'w wraig. Mae hithau yn cyflogi dwy wraig arall o'r pentref i'w helpu. Mae gan deulu Arsike ddigon o arian rŵan i brynu bwyd. Mae nhw a'r pentrefwyr eraill yn dechrau adeiladu ysgol fach er mwyn i'w plant gael dysgu darllen a sgwennu fel chi. Dyna i chi'r math o waith mae Cymorth Cristnogol yn ei wneud.

Gweddi:
Yn aml wrth wylio'r teledu rydym yn teimlo'n drist na fedrwn wneud mwy i helpu eraill sydd yn dlawd, ac yn sâl oherwydd nad ydyn nhw'n cael bwyd. Diolchwn felly ein bod yn medru cefnogi elusennau fel Cymorth Cristnogol.

Amen

Y Groes Goch

Pe taswn i yn rhoi £20 i bob un ohonoch, beth fydde chi yn ei wneud efo fo? (*Gellir trafod – beth fuasai'r plentyn yn ei brynu, pwy fyddai'n ei roi yn y banc i ddodwy, a fyddai'r arian yn cael ei wario'n ddoeth a.y.y.b.*)

Dw i ddim yn awgrymu fod pawb yn rhoi eu harian i gyd i ffwrdd ond mae na rai elusennau sydd yn casglu arian ac yn ei ddefnyddio i helpu pobol eraill.

Bob tro mae na drychineb fel daeargryn, llifogydd neu losgfynydd mae pobol y Groes Goch yno'n helpu. Dyma beth fyddai £20 yn wneud pe bae'r Groes Goch yn ei ddefnyddio:

1. Bwydo teulu sydd wedi dioddef prinder glaw, am fis.

2. Rhoi cyflenwad o dabledi i buro dŵr i ddau deulu am fis.

3. Rhoi penisilin i tua 60 o bobol.

4. Prynu blawd, olew a halen er mwyn i deuluoedd tlawd gael gwneud bara.

5. Prynu llestri bwyta i deulu sydd wedi colli eu heiddo i gyd mewn daeargryn.

6. Prynu cynfasau plastig i helpu rhai sydd wedi dioddef oherwydd trychineb.

Mae pawb yn y wlad hon yn lwcus – digon o ddillad a digon o fwyd. Beth am gasglu ychydig o geiniogau bob wythnos ar gyfer un elusen. Buan iawn y gwnaiff ychydig o geiniogau ddodwy yn £20, ac wedyn gallwch chi ei roi i helpu eraill.

Gweddi:
Diolch i Ti O Dad am y rhoddion rwyt Ti'n eu rhoi i ni bob dydd. Diolch i Ti nad oes raid i ni boeni am bethau fel bwyd a dillad. Helpa ni i gofio am y rhai sydd yn llai ffodus na ni, a helpa ni i wneud eu byd yn well.

Amen

Oxfam

Mewn amryw o drefi mawr fe welwch chi nifer o siopau elusen. Mae'r rhain yn casglu ac yn derbyn dillad ail law, llyfrau, sgidiau, celfi bach a chryno ddisgiau. Mae rhai o'r siopau hyn yn gwerthu nwyddau newydd. Un o'r siopau hynny yw *Oxfam*. Os ewch chi i siop *Oxfam* fe welwch chi fod nifer o bethau ar werth yno sydd wedi cael eu gwneud yng ngwledydd y Trydydd Byd. Gwledydd y Trydydd Byd yw'r gwledydd hynny lle mae na dlodi difrifol. Mewn amryw o'r gwledydd yma, hyd yn oed heddiw, mae plant mor ifanc â chwech oed yn gweithio oriau hir mewn ffatrïoedd, a hynny am ychydig iawn o gyflog. Os ydach chi eisiau helpu pobol yn y gwledydd hyn, prynwch y nwyddau sydd i'w cael mewn siopau fel *Oxfam*. Mae na bob math o bethau i'w cael, te, coffi, reis, basgedi a bocsus o bob siâp. Adeg y Nadolig gallwch helpu nifer o elusennau trwy brynu eu cardiau. A chofiwch, os oes ganddoch chi ddillad sy'n rhy fach i chi neu hen deganau nad ydach chi eu hangen, ewch â nhw i siop *Oxfam*. Mae'r elw i gyd yn cael ei ddefnyddio i helpu pobol dlawd mewn gwledydd eraill.

Gweddi:

Diolchwn i Ti O Dduw am yr holl bobl yn y wlad hon sy'n gweithio'n wirfoddol mewn siopau fel *Oxfam*. Gwna i ninnau hefyd wneud rhywbeth i helpu'r tlawd a'r rhai anghenus sydd yn byw yng Ngwledydd y Trydydd Byd.

Amen

Helpu Eraill

Pwy gafodd frecwast cyn dod i'r ysgol y bore ma? Pwy fydd yn cael te neu swper ar ôl mynd adref? Pwy sydd efo teledu? Pwy sydd efo Game Boy? Pwy sy'n mynd i ffwrdd am wyliau unwaith y flwyddyn? Os meddyliwch chi, mi rydan ni'n lwcus iawn.

Edrychwch o gwmpas pan ewch chi i siopa nesa. Fe welwch efallai bobol sy'n hen, pobol sy'n anabl, pobol sy'n ddall, pobol sy'n cardota am arian neu am fwyd. Fedrwch chi ddim helpu pawb ac mae'n rhaid i chi gael caniatâd gan oedolyn cyn helpu rhywun, ond mae na nifer o bethau y gallwch chi eu gwneud i helpu eraill.

1. Mi fedrwch chi noddi rhywun arall, neu gymryd rhan eich hun mewn rhyw weithgaredd noddedig.

2. Mi fedrwch chi hefyd gefnogi rhaglen debyg i *Blue Peter*. Unwaith y flwyddyn mae Blue Peter efo apêl arbennig i helpu pobol sy'n llai ffodus na ni.

3. Mi fedrwch chi hefyd helpu eraill os ydach chi'n aelod o'r *Brownies*, y *Girl Guides* neu'r Sgowtiaid.

(*Gellir trafod beth mae'r plant eisoes wedi ei wneud*)

Dim ots pa mor fychan eich cymorth, mae na rywun yn rhywle fydd yn falch ohono.

Gweddi:
Dysg ni O Dduw i feddwl am anghenion pobl eraill yn hytrach na meddwl am ein hanghenion ni'n hunain. Nid yw'r byd yn deg iawn. Mae rhai yn cael gormod o bethau a rhai yn cael dim. Helpa ni i wneud rhywbeth sydd o fewn ein gallu i wneud byd pobl eraill yn hapusach.

Amen

Pethau bychain

Flynyddoedd ar ôl i Dewi Sant farw, fe gafodd Buchedd Dewi ei hysgrifennu gan ddyn o'r enw Rhigyfarch. Un o'r pethau yr oedd Dewi am i ni wneud oedd hyn:

"Gwnewch y pethau bychain a glywsoch ac a welsoch gennyf fi."

Fe ddywedodd Iesu Grist hefyd wrthym am fod yn gyfeillgar efo'n gilydd a pheidio â ffraeo a chweryla.

Dyma beth mae rhai o blant yr ysgol hon yn ei wneud i helpu eraill:

(*Enghreifftiau gan rai o'r plant*)

Gweddi:
O Dad, helpa fi i gofio fod gwneud pethau bychain dros eraill yn werthfawr yn dy olwg Di.

Amen

Syr Ifan ab Owen Edwards

Dyn o'r enw Syr Ifan ab Owen Edwards a gychwynnodd Sefydliad yr Urdd. Roedd ei dad o, Syr Owen Edwards, wedi cychwyn cylchgrawn o'r enw "Cymru'r Plant". Pan gymerodd Syr Ifan y cylchgrawn drosodd gan ei dad, fe ysgrifennodd o lythyr ynddo at blant Cymru. Roedd hynny yn 1922 a dyma'r amser y cychwynnwyd yr Urdd.

Tua'r un amser, cafodd dyn o'r enw y Parchedig Gwilym Davies y syniad o yrru Neges Ewyllys Da. Mae'r neges yma yn cael ei gyrru ar ran plant Cymru i blant y byd. Neges heddwch ydi hi. Bydd un ysgol arbennig yn cael ei dewis i'w llunio a'i darlledu ar y Radio i wledydd eraill ar Fai 18fed bob blwyddyn.

Ar ddechrau'r Ail Ryfel Byd yn 1939 roedd nifer fawr o bobol yn dod i Gymru i osgoi'r bomiau a oedd yn cael eu gollwng ar ddinasoedd Lloegr. Sylwodd Syr Ifan ar ôl iddyn nhw gyrraedd fod llawer o blant y trefi yn ei ardal yn siarad mwy o Saesneg nag o Gymraeg. Roedd hyn yn ei boeni. Penderfynodd sefydlu ysgol newydd yn Aberystwyth lle byddai'r plant yn dysgu pob pwnc trwy'r iaith Gymraeg. Saith o blant a ddaeth i'r ysgol ar y cychwyn ond ymhen saith mlynedd roedd 70 o blant ynddi. Hon oedd yr Ysgol Gymraeg gyntaf i'w sefydlu ac erbyn hyn mae amryw o ysgolion Cymru un ai'n ddwyieithog neu'n dysgu pob dim trwy'r Gymraeg.

Gweddi:
Diolch i Ti, O Dduw, am Ddydd Ewyllys Da Urdd Gobaith Cymru. Does dim un plentyn yn y byd eisiau rhyfela ac mae'n braf fod plant Cymru yn gallu gyrru neges o heddwch i blant eraill sydd mewn gwledydd pell.

Amen

Hanes yr Urdd

(Angen Mascot yr Urdd, Mistar Urdd, a chân Mistar Urdd)

Yn 1922 cafodd Urdd Gobaith Cymru ei chychwyn gan ddyn o'r enw Syr Ifan ab Owen Edwards ar gyfer plant Cymru. Mae pawb sy'n perthyn i'r Urdd yn siarad Cymraeg – amryw yn ddysgwyr. Erbyn hyn mae na lawer o gystadlaethau ar gyfer plant sy'n dysgu siarad Cymraeg, ac mae na wobr arbennig i Ddysgwr Gorau'r Flwyddyn.

Dyma Mistar Urdd. Mascot yr Urdd ydi o. Mae o'n wyn, coch a gwyrdd. Mae'n rhaid i bob aelod o'r Urdd garu Cymru, caru cyd-ddyn a charu Crist. Mae llawer o blant yr ysgol hon yn perthyn i'r Urdd. Byddant yn cyfarfod i gael pob math o weithgareddau bob nos Lun.

Mae llawer o blant yr Urdd hefyd yn cael mabolgampau ac yn mynd i Wersyll Glanllyn a Gwersyll Llangrannog. Yn y gwersylloedd fe geir cryn dipyn o hwyl yn canŵio, nofio, hwylio, sglefrio, dod i nabod plant eraill o Gymru yn ogystal ag ymarfer siarad Cymraeg.

Bob blwyddyn bydd yr Urdd yn cynnal Eisteddfod. Eleni bydd yr Eisteddfod yn cael ei chynnal yn …

Dyma gân Mistar Urdd

Gweddi:
Diolch i Ti O Dad nefol am bobl fel Syr Ifan ab Owen Edwards a sefydlodd Urdd Gobaith Cymru. Helpa ni i fod yn aelodau teilwng o'r Urdd fel y gall ein plant ni yn y dyfodol etifeddu'r iaith Gymraeg.

Amen

Gwersylla

Mae gan yr Urdd ddau Wersyll – un yn Llangrannog yn y De ac un yn y Bala yn y Gogledd.

Roedd Gwersylloedd cyntaf yr Urdd yn 1928 ym mhentref Llanuwchllyn lle y ganwyd y sylfaenydd Syr Ifan ab Owen Edwards, ac yna yn Llangollen. Yn 1932 agorwyd Gwersyll Llangrannog ar ddarn o dir uwchben y môr yn Sir Aberteifi. Adeiladau pren oedd 'na i gychwyn. Roedd na wersyll hefyd ar un adeg ym Mhorthdinllaen.

Yn 1950 agorodd Syr Ifan wersyll arall o'r enw Glanllyn ar lan Llyn Tegid, y Bala a chaewyd y Gwersyll ym Mhorthdinllaen.

Mae pob math o weithgareddau i'w cael yn y gwersylloedd - canŵio, nofio, hwylio a sglefrio. Bydd cyrsiau hyfforddi yn cael eu cynnal hefyd gan arbenigwyr.   Dyma beth mae rhai o blant yr ysgol hon wedi bod yn ysgrifennu am eu gwyliau yn y gwersylloedd.

(*Cofnod ychydig o blant*)

Gweddi:
Diolchwn i Ti, Arglwydd am gael y cyfle i fynd i aros yng Ngwersyll yr Urdd ac am yr hwyl a gawn yno. Helpa ni i wneud ffrindiau newydd yno ac i fod yn gwrtais a diolchgar wrth y swyddogion a fydd yn gofalu amdanom.

Amen

Eisteddfod

Os gwnewch chi wneud pelen eira a'i rholio mewn mwy o eira, fe wnaiff hi fynd yn fwy ac yn fwy. Dyna beth sydd wedi digwydd efo Eisteddfod yr Urdd, sydd yn cael ei chynnal bob blwyddyn tua diwedd mis Mai. Un flwyddyn fe fydd yn cael ei chynnal mewn ardal yn y Gogledd a'r flwyddyn ganlynol mewn ardal yn y De. Eleni bydd yr Eisteddfod yn ...

Bydd Swyddogion yr Urdd yn trefnu nifer o Eisteddfodau bach lleol yn ystod mis Mawrth bob blwyddyn. Eisteddfod Gylch fydd hon. Bydd pob math o gystadlaethau yn cael eu trefnu a bydd yr enillwyr wedyn yn cystadlu eto mewn Eisteddfod Sir. Bydd goreuon yr Eisteddfod honno yn mynd ymlaen wedyn i'r Eisteddfod fawr tua diwedd mis Mai a byddant yn cystadlu yn erbyn plant o bob rhan o Gymru.

Erbyn hyn mae na amrywiaeth o gystadlaethau – canu unigol, llefaru, offerynnau, dawnsio gwerin, dawnsio disgo, ymson, dramâu, corau, gymnasteg, llenydda, barddoni, rhifyddeg, gwyddoniaeth, gwnïo a phob math o waith llaw

Roedd yr Eisteddfod gyntaf yn 1929. Ers 70 o flynyddoedd mae'r Eisteddfod fel y belen eira, wedi cynyddu yn ei maint ac yn mynd o nerth i nerth.

Gweddi:
Diolchwn i Ti, O Dad nefol am y cyfle i gystadlu yn Eisteddfod yr Urdd. Dysg ni i roi ein gorau mewn cystadleuaeth ond i beidio â dangos drwg deimlad os nad ydan ni'n ennill. Er mwyn Iesu Grist.

Amen

Croeso'n ôl

Bob mis Awst mae na Eisteddfod Genedlaethol arall yn cael ei chynnal un ai yng Ngogledd Cymru neu yn y De. Mae hon yn Eisteddfod fwy nag Eisteddfod Genedlaethol yr Urdd oherwydd fod oedolion yn cael cystadlu hefyd. Bydd miloedd o bobol o Gymru yn heidio yno ac fe fydd cannoedd o bobol eraill o bob rhan o'r byd yn teithio o bell i fod yno hefyd. Mae nhw'n bobol arbennig iawn oherwydd pobol o dramor ydyn nhw ac mae nhw'n gallu siarad Cymraeg.

Dros 200 o flynyddoedd yn ôl aeth criw o bobol o Gymru mewn llong i Unol Daleithiau America er mwyn cychwyn bywyd newydd mewn gwlad newydd. Yn ddiweddarach aeth criw arall yn y llong *Mimosa* i Dde America a sefydlu cymuned mewn lle o'r enw Patagonia. Erbyn hyn mae na gannoedd o bobol Cymraeg yn byw mewn gwledydd eraill hefyd.

Dyna pam ar ddydd Iau yn ystod wythnos yr Eisteddfod mae na seremoni arbennig yn cael ei chynnal a'i henw ydi Seremoni Croesawu Cymry a'r Byd. Yn y seremoni bydd pob Cymro neu Gymraes sydd wedi dod o wlad arall yn cael lle arbennig ar y llwyfan. Bydd enwau gwahanol wledydd yn cael eu galw fesul un, Affrica, Awstralia, Unol Daleithiau America, De America, Canada, Ffrainc, Yr Almaen, Sbaen a.y.y.b. Os bydd rhywun sydd ar y llwyfan yn byw fel arfer yn un o'r gwledydd hynny, mae nhw'n sefyll i fyny ac mae'r gynulleidfa i gyd yn eu croesawu trwy guro dwylo.

Mae hi'n seremoni hapus oherwydd mae pawb yn falch o'u cael yn ôl yng Nghymru. Mae hi hefyd yn seremoni drist oherwydd fod gan bawb sydd ar y llwyfan hiraeth am Gymru. Beth sy'n bwysig ydi fod pob un ohonyn nhw wedi parhau i siarad yr iaith Gymraeg.

Dyma ran o'r gân sy'n cael ei chanu yn y seremoni:

"Unwaith eto yng Nghymru annwyl,
Rwyf am dro ar dir fy ngwlad;
Llawen gwrdd â hen gyfeillion
Sydd yn rhoddi mawr fwynhad."

A dyma un pennill o'r gân Croeso sy'n cael ei chanu gan blant y fro:

"Fe roddwn ninnau groeso
Yn awr dros blant y fro,
I'r Cymry oddi cartref
A ddaeth yn ôl am dro;
O croeso'n ôl i Gymru lân,
O croeso, croeso yw ein cân."

Gweddi:

O Dduw, diolch i Ti am Gymru ein gwlad. Diolch am yr iaith Gymraeg ac am bawb sy'n gweithio'n galed dros ei chadw yn fyw. Diolchwn i Ti fod Cymry sy'n byw mewn gwledydd eraill yn ymfalchïo wrth ddod yn ôl i'w cynefin. Wedi'r cyfan dim ond un Gymru sydd i'w chael.

Amen

Y Tywydd

Yr Haf i mi yw tymor gorau'r flwyddyn. Mae'r dydd yn hir yn enwedig ym mis Mehefin pan fydd y diwrnod hiraf o'r flwyddyn. Yn ystod tymor yr Hydref llynedd, fe syrthiodd y dail oddi ar y coed; yn ystod y Gaeaf cafodd y tir seibiant oherwydd fod y tywydd yn rhy oer a stormus i bethau dyfu. Ond pan ddaeth y Gwanwyn roedd rhywun yn teimlo fod natur wedi deffro – roedd na eirlysiau a chennin Pedr yn yr ardd, blagur ar y coed, adar yn nythu, draenogod yn deffro o'u trwmgwsg, a'r tywydd yn cynhesu.

Pan mae'r Haf yn dod mae pob dim ar ei orau – blodau a llysiau yn y gerddi, amrywiaeth o goed yn eu gogoniant a'r caeau i'w gweld yn ffrwythlon. Yn yr Haf mae'r haul i'w weld yn uchel yn yr awyr ac rydan ni'n fwy tebygol o gael tywydd poeth. Fel arfer mae'n gyfle i gerdded, nofio yn y môr, mynd i ffwrdd am wyliau neu gael barbeciw yn yr ardd.

Dyma beth mae rhai o'r plant wedi ysgrifennu am yr Haf:

(Ychydig o enghreifftiau gan rai o'r plant)

Gweddi:
Diolchwn i Ti O Dduw am brydferthwch y wlad yn yr Haf, am ddail ar y coed, am flodau yn yr ardd, am gywion ifanc yn dysgu hedfan, am haul cynnes ac awyr las, am gyfle i chwarae ar lan y môr, am gyfle i fynd i nofio.
Amen

Dillad

Mae heddiw yn ddiwrnod o haf, diwrnod braf a heulog ac oherwydd hynny mae'n boeth. Pe tawn i'n sefyll o'ch blaen bore ma wedi fy ngwisgo mewn côt dew, cap cynnes ar fy mhen, scarff hir o amgylch fy ngwddw, menyg am fy nwylo a sgidiau uchel i fyny at fy mhengliniau, mi fyddech chi i gyd yn chwerthin. Mae'n debyg y buaswn innau erbyn hyn wedi llewygu oherwydd y buaswn yn rhy boeth. Pam? Wel dillad ar gyfer y Gaeaf yw dillad felly ac wrth lwc mae ganddom ni ddillad mwy addas ar gyfer yr Haf a'r haul poeth.

Plentyn 1: Yn yr Haf dw i'n hoffi gwisgo crysau T a siorts neu drowsus byr. Mae gen i bob math o grysau T, rhai efo sgwennu arnyn nhw, rhai efo lluniau neu logo arnyn nhw a rhai plaen.

Plentyn 2: Yn yr Haf dw i'n hoffi gwisgo sgidiau ysgafn am fy nhraed. Sandalau yw rhain. Mae nhw'n braf ar fy nhraed oherwydd nid yw fy nhraed yn mynd yn rhy boeth. Dyma'r math o esgidiau yr oedd Iesu Grist a'i ddisgyblion yn wisgo wrth gerdded o le i le.

Plentyn 3: Yn yr Haf, yn enwedig os ydi'r haul yn gryf, mi fydda' i'n gwisgo het haul ar fy mhen, rhag ofn i'r haul fy ngwneud yn sâl.

Plentyn 4: Yn yr Haf dw i'n hoffi mynd i lan y môr. Mi fyddaf yn gwisgo siwt nofio er mwyn i mi gael nofio yn y dŵr.

Gweddi:

Ar ôl oerni'r Gaeaf a chynhesrwydd y Gwanwyn, mor braf yw cael dyddiau hir a thywydd poeth yn yr Haf. Diolchwn i Ti, Dad nefol, am y cyfle i gael gwneud cymaint o weithgareddau fel mynd am bicnic, mynd i lan y môr, chwarae yn y parc a mynd i ffwrdd ar wyliau.

Amen

Yn yr ardd

(Angen lluniau trychfilod sydd yn byw yn yr ardd)

Os gwnewch chi edrych yn yr ardd sydd yn yr ysgol neu'r ardd sydd ganddo chi adref, fe allwch chi wneud rhestr hir iawn o'r holl drychfilod bach a phryfaid sy'n byw yno, yn enwedig yn yr Haf. Os mai chi ydi'r garddwr, yna fe fedrwch chi wneud dwy restr – y gyntaf yn rhestru pa drychfilod sy'n eich helpu i dyfu llysiau a blodau da, a'r ail yn rhestru pa rai yw eich gelynion sy'n bwyta'r planhigion.

Y gelynion ydi'r affid. Pryfaid bach iawn yw'r rhain sy'n bwyta a difa planhigion. Mae na affid gwyrdd, affid du ac affid gwyn. Mae malwod hefyd yn gallu difa planhigion yn enwedig ar ôl iddi hi lawio. Yn y nos fel arfer y bydd y malwod yn gwledda ac yn y bore fe welwch chi eu bod wedi gadael eu llwybr arian ar y pridd.

Gelyn arall gewch chi mewn gardd yw'r twrch daear, ond bwyta pethau yn y pridd wneith o a dim bwyta'r llysiau. Unwaith y gwelwch chi dwmpathau bach o bridd yn y lawnt neu mewn rhannau eraill o'r ardd, byddwch yn gwybod mai twrch daear sy'n gyfrifol. Y pedwerydd gelyn ydi'r lindys. Cyn iddi hi newid yn iâr fach yr haf, rhaid iddi fwyta'n ddiddiwedd am ddyddiau. Mae na rai lindys a all wneud difrod mawr i fresych a rhai blodau.

Os cewch chi fuwch goch gwta yn yr ardd, mae nhw wrth eu bodd yn bwyta'r affid, felly peidiwch â'u lladd. Os oes malwod yn yr ardd mae na adar fel y fwyalchen sy'n hoffi bwydo ar falwod. Ffrind arall i'r garddwr ydi'r pry genwair neu'r mwydyn, oherwydd ei fod yn troi'r pridd wrth symud o gwmpas ac felly mae'n ei wneud yn bridd da.

Felly mewn gardd dda, mae'n rhaid i'r gelynion fod yna yn fwyd i drychfilod eraill. Tydi o'n rhyfedd sut mae natur yn gweithio?

Gweddi:
Diolchwn i Ti Arglwydd, am gael gweld unwaith eto yn ein gerddi, y trychfilod bach sydd wedi bod yn cysgodi dros y Gaeaf oer. Diolch am gael clywed sioncyn y gwair yn y caeau, am gael gweld buwch goch gwta yn glanio ar fy llaw, am glywed yr ehedydd ar y mynydd. Diolch hefyd am y blodau hardd sy'n tyfu ymhob man ac am y llysiau sy'n tyfu yn yr ardd.

Amen

Wrth y Pwll

(Angen ychydig o luniau trychfilod sydd yn byw yn y pwll)

Roeddwn i ar un adeg yn meddwl mai dim ond llyffantod a physgod oedd yn byw mewn pyllau dŵr, ond ar ôl i mi roi pwll yn fy ngardd, mi welais gymaint o bethau diddorol sydd wedi dod i fyw ynddo fo. Dyma i chi rai o'r rhyfeddodau sy' gen i yn y pwll:

1.   **Chwilod** Mae chwilod yn byw yn y dŵr ac yn cadw swigod o aer o dan eu hadenydd er mwyn iddyn nhw fedru anadlu. Mae un chwilen – y chwilen chwrligwgan – yn chwyrlio o gwmpas ar wyneb y dŵr.

2.   **Rhwyfwr Mawr** Mae hwn yn nofio ar ei gefn ar wyneb y dŵr.

3.   **Sglefryn y llyn** Mae gan y sglefryn bedair coes hir a gall ddefnyddio'r rhain i sglefrio ar wyneb y dŵr.

4.   **Gwas y Neidr** Mae wyau gwas y neidr yn cael eu dodwy yn y dŵr. Unwaith y bydd yr wyau wedi deor byddant yn cael eu galw'n nymff. Ar ôl tyfu mae nhw'n dod allan o'r dŵr ac yn aros ar y brwyn nes dod allan o'u crwyn. Unwaith y bydd eu hadenydd wedi sychu byddant yn hofran o gwmpas y dŵr i ddal pryfaid eraill.

(Gellir trafod beth arall sy'n byw mewn pyllau dŵr – pry copyn y dŵr, malwod, sgorpion y dŵr, llyffantod, gelod a.y.y.b.)

Mae na ddigon o hwyl i'w gael wrth chwilio am drychfilod mewn pwll ond GOFALUS! Os syrthiwch i'r dŵr fe allwch foddi.

Gweddi:
Diolchwn i Ti O Dduw am wres yr haul a'r cyfle i ymchwilio beth sydd mewn pyllau dŵr yn y wlad ac ar lan y môr. Dysg ni fod chwarae wrth ymyl pyllau yn gallu bod yn beryglus ac y dylem i gyd fod yn ofalus. Yn enw Iesu Grist.

Amen

Glan y môr

Un peth braf yn yr Haf yn enwedig yn ystod y gwyliau yw cael mynd i lan y môr. Mae 'na ddywediad "chwarae'n troi'n chwerw" a mae hyn yn debygol o ddigwydd os na fyddwch chi'n ofalus pan ydach chi'n mwynhau eich hunain ar y traeth. Dyma rai rheolau pwysig – rheolau, os gwnawn ni eu dilyn, sy'n gwneud pnawn ar lan y môr yn bnawn hapus a diogel.

1. Cofiwch roi eli ar eich croen rhag ofn i chi losgi os ydi'r haul yn boeth. Mae'n hawdd iawn cael llosg haul ar y traeth, heb sylweddoli hynny, yn enwedig os oes na ychydig o awel hefyd. Cofiwch roi mwy o eli ar ôl i chi fod yn nofio.

2. Cofiwch wisgo het haul. Gall haul poeth wneud i chi deimlo'n sâl a gall hefyd niweidio eich croen.

3. Peidiwch â mynd allan yn rhy bell i'r môr oherwydd mae'r llanw yn gallu eich tynnu allan. Mewn ambell draeth mi fedrwch chi foddi os oes na gerrynt cryf.

4. Os byddwch chi'n mynd allan ar y môr mewn cwch rwber cofiwch fod y gwynt yn gallu chwythu'r cwch allan i'r môr mawr.

5. Cofiwch wisgo siaced achub bywyd, os ydach chi'n mynd allan mewn cwch.

6. Peidiwch â mynd i nofio i'r môr yn syth ar ôl bwyta.

7. Peidiwch â mynd i'r môr i nofio heb ddweud wrth oedolyn eich bod yn mynd.

8. Peidiwch â mynd yn rhy wirion wrth bryfocio'r tonnau. Meistr ydi'r môr – meistr ar bawb sydd ddim yn ei barchu.

Wrth gofio am y rheolau pwysig yma, fe allwch fwynhau eich hunain a chael amser braf.

Gweddi:

Am heulwen gynnes,	*Diolch i Ti*
Am fisoedd yr Haf,	*Diolch i Ti*
Am ffrwythau'r Haf,	*Diolch i Ti,*
Am hwyl glan y môr,	*Diolch i Ti*
Am hufen iâ a diod oer,	*Diolch i Ti*

Amen

Ieithoedd eraill

(Angen taflun o brint Hebraeg ac enghraifft syml o sgrôl)

Mae'r Beibl yn llyfr pwysig iawn ac yn cael ei alw gan amryw yn Frenin y Llyfrau. Ond nid un llyfr ydi o, ond casgliad o lyfrau wedi cael eu hysgrifennu dros gyfnod o fil o flynyddoedd.

Yn y Beibl mae na 39 o lyfrau mewn rhan a elwir yr Hen Destament, 27 o lyfrau mewn rhan a elwir y Testament Newydd, a 14 o lyfrau mewn rhan a elwir yn Apocryffa.

Cafodd yr Hen Destament ei ysgrifennu yn yr iaith Hebraeg, ymhell cyn i Iesu Grist gael ei eni. Dyma i chi sut mae iaith Hebraeg yn cael ei sgwennu. Wrth ddarllen Hebraeg rydach chi'n dechrau darllen o gefn y llyfr. Pan oedd Iesu Grist yn hogyn bach roedd o'n darllen yr Hen Destament. Roedd yn rhaid iddo fynd i'r synagog i'w ddarllen am mai yno yr oedd yn cael ei gadw. Roedd wedi ei ysgrifennu mewn Aramaeg (iaith arall a oedd yn cael ei siarad yn y wlad honno) ac nid oedd yn debyg i'n llyfrau ni heddiw wrth edrych arno oherwydd ei fod wedi cael ei ysgrifennu mewn sgrôl. (Gellir dangos enghraifft syml.) I ddarllen rhywbeth o sgrôl roedd yn rhaid rholio un ochr a dadrolio'r ochr arall.

Yna, ar ôl iddo farw bu llawer o ddilynwyr Iesu Grist, pobol fel Paul a Ioan, yn ysgrifennu mewn Groeg, am hanes eu harwr. Dyma'r rhan rydan ni'n ei adnabod heddiw fel y Testament Newydd. Cafodd yr Hen Destament a'r Testament Newydd eu cyfieithu wedyn i iaith o'r enw Lladin ond o'r iaith Hebraeg y cafodd ein Beibl ni ei gyfieithu i'r Gymraeg.

Erbyn heddiw mae'r Beibl cyfan wedi cael ei gyfieithu i 392 o ieithoedd gwahanol, ac mae rhannau ohono wedi cael eu cyfieithu i dros ddwy fil o ieithoedd. Mae'n cael ei ddefnyddio a'i ddarllen yn y mwyafrif o wledydd, ond mae na fwy o waith cyfieithu eto. Ers blynyddoedd mae Cymdeithas y Beibl yn cyflwyno Beiblau o gwmpas y byd ar gyfer pobol sy'n awyddus i'w darllen.

Dyma gasgliad o Feiblau, rhai mawr a rhai bach, hen Feiblau a Beiblau Newydd a dyma nifer mewn gwahanol ieithoedd. Dyma un Beibl arbennig iawn – Beibl y Plant. Mae o'n arbennig oherwydd ei fod yn hawdd i'w ddeall ac mae na luniau hardd ynddo fo. Ac os ydi hi'n well ganddo chi ddarllen o'r Cyfrifiadur, gallwch ddarllen fersiwn gyfoes o'r Beibl ar eich sgrîn.

Roedd na ferch fach yn India a oedd wrth ei bodd fod y Beibl wedi cael ei gyfieithu i'w hiaith hi sef Wrdw a dywedodd, "Mae Duw wedi dod i fyw i India rwan."

Gweddi:
Diolch i Ti O Dduw am y Beibl, am hanes y proffwydi yn yr Hen Destament, ac am hanes Iesu Grist yn y Testament Newydd. Mor falch ydym fod y llyfr arbennig hwn wedi cael ei gyfieithu i nifer o ieithoedd gwahanol fel bod cyfle i fwy o bobol ddod i gredu ynot Ti.

Amen

William Morgan

Rhwng Penmachno a Dolwyddelan mae na hen fwthyn o'r enw Tŷ Mawr. Yno bron i 500 mlynedd yn ôl fe anwyd William Morgan. Roedd ei dad yn denant i Sgweier Gwydir ar gyrion Llanrwst. Bu William Morgan yn lwcus – roedd o'n fachgen galluog iawn a chafodd addysg pan oedd o'n ifanc iawn gan hen fynach. Yna aeth yn rheolaidd i Blasty Gwydir i gael ei addysg efo plant Syr John Wynne, y Sgweier.

Aeth William Morgan wedyn i astudio i Goleg yng Nghaergrawnt, cyn iddo gael ei wneud yn offeiriad. Yn 1563 gorchmynnodd y Frenhines Elisabeth Y Gyntaf, i Esgobion Cymru a Henffordd fod yn gyfrifol am gyfieithu'r Beibl i'r Gymraeg. Er bod rhai fel William Salesbury yn gweithio ar y Testament Newydd dechreuodd William Morgan gyfieithu'r Beibl i gyd, - mae'n debyg i'r gwaith o gyfieithu gymryd tua deg i ddeuddeg mlynedd i'w wneud. Roedd wedi gorffen y gwaith erbyn 1587. Bu raid iddo fo wedyn fynd â'r gwaith i Lundain er mwyn iddo gael ei argraffu gan yr Argraffwyr Christopher a Robert Barker. Cymerodd tua blwyddyn i'r gwaith argraffu gael ei wneud cyn i'r Beibl Cymraeg gael ei gyhoeddi yn 1588 dan yr enw Y Beibl Cysegr-lân.

Cyflwynodd William Morgan y copi cyntaf i'r Frenhines Elisabeth. Pe bai William Morgan heb gyfieithu'r Beibl i'n hiaith ni yng Nghymru, mae'n debyg na fyddai neb heddiw yn siarad Cymraeg. Yn 1595 cafodd William Morgan ei wneud yn Esgob. Bu farw yn 1604 ac fe'i claddwyd yn Eglwys Gadeiriol Llanelwy.

Tybed a fyddech chi'n medru darllen Beibl William Morgan heddiw? Wrth gwrs y buasech chi! Ond mae'n rhaid cofio fod pob iaith wedi newid cryn dipyn mewn 400 mlynedd. Yn 1620 fe wnaeth Dr Richard Parry a Dr John Davies argraffiad newydd o Feibl William Morgan. Yna cafodd y Beibl Cymraeg Newydd ei gyhoeddi yn 1988, ac ym mis Mawrth 2004 fe gafwyd Argraffiad Diwygiedig arall sef Beibl sy'n hawdd i bawb ei ddeall.

Gweddi:
Diolch i Ti O Dduw am bobl fel William Morgan a William Salesbury. Diolchwn am y gwaith a wnaeth y ddau yn cyfieithu'r Beibl i'r Gymraeg. Ers talwm byddai pobl yn darllen y Beibl o glawr i glawr. Dysg ni hefyd i gael mwynhad wrth ddysgu a darllen am Iesu Grist a'i ddilynwyr.

Amen

Y Salmau

Yn yr Hen Destament mae na hanes y Brenin Dafydd. Pan oedd o'n fachgen ifanc roedd o wrth ei fodd yn eistedd yn y caeau yn gwylio'r defaid. Roedd gan Dafydd delyn fechan ac fe gâi bleser yn ei chwarae ac yn cyfansoddi caneuon. Mae'r caneuon hynny yn cael eu galw yn Salmau ac ar un adeg roedden nhw'n cael eu dweud neu eu canu pan oedd criw o bobol yn teithio o un lle i'r llall. Mae na gant a hanner o salmau i'w gweld yn yr Hen Destament, rhai wedi cael eu sgwennu gan Dafydd, a rhai gan Broffwydi eraill. Dyma un Salm – Salm 23 – un o'r salmau a ysgrifennodd Dafydd:

"Yr Arglwydd yw fy mugail, ni bydd eisiau arnaf. Efe a wna i mi orwedd mewn porfeydd gwelltog. Efe â'm tywys gerllaw y dyfroedd tawel."

Doedd neb wedi llunio llyfr emynau pan gynhaliwyd y gwasanaethau cyntaf mewn eglwysi yng Nghymru. Yn 1544 fe anwyd dyn o'r enw Edmwnd Prys. Am y rhan fwyaf o'i fywyd bu'n byw ym Maentwrog. Roedd o'n offeiriad ac yn Archddiacon Meirionnydd. Nid yw Salmau yn bethau hawdd i'w canu a chafodd Edmwnd Prys y syniad o newid y salmau i gyd a'u gwneud yn ganeuon a fyddai'n haws i'w canu. Mae'r caneuon yn cael eu canu hyd heddiw mewn capeli ac eglwysi. Dyma sut y sgwennodd Edmwnd Prys Salm 23 fel cân:

"Yr Arglwydd yw fy mugail clau,
Ni ad byth eisiau arnaf;
Gorwedd a gaf mewn porfa fras
Ar lan dwfr gloywlas araf."

Gweddi:
Diolch am y gwaith da a wnaeth Edmwnd Prys yn rhoi newydd wedd ar salmau'r Hen Destament. Diolchwn hefyd ein bod yn gallu canu rhai o'r Salmau er eu bod wedi cael eu sgwennu gan bobl fel Dafydd bron dair mil o flynyddoedd yn ôl.

Amen

Mari Jones

Tua 220 o flynyddoedd yn ôl roedd dyn o'r enw Thomas Charles yn byw yn y Bala. Roedd o'n awyddus iawn i bawb ddysgu darllen ond roedd na brinder Beiblau a doedd na ddim llyfrau eraill i'w cael. Llwyddodd Thomas Charles i gael cyhoeddi tua 10 mil o gopïau newydd.

Tua phum milltir ar hugain o'r Bala mae na bentref bach o'r enw Llanfihangel-y-Pennant. Yno roedd merch ifanc o'r enw Mari Jones yn byw. Roedd hi wedi clywed fod Thomas Charles yn gwerthu Beiblau ac roedd hi wedi bod yn cynilo ei harian prin ers misoedd i brynu un.

Yr adeg honno doedd na ddim ffôn i archebu llyfr. Doedd na ddim post i yrru un, a'r unig ffordd i gael Beibl oedd cerdded o Lanfihangel-y-Pennant i dŷ Thomas Charles yn y Bala, - taith bell ac unig i ferch ifanc. Dychmygwch ei siom pan gyrhaeddodd y tŷ a chlywed fod y Beiblau i gyd wedi cael eu gwerthu.

Pan welodd Thomas Charles y dagrau yn cronni yn ei llygaid, cofiodd ei fod wedi cadw un Beibl i'w ffrind. Mi fyddai'r ffrind hwnnw yn fodlon disgwyl i fwy o Feiblau gael eu cyhoeddi. Mor falch oedd Mari pan ddywedodd Thomas Charles wrthi hi, "Mi gei di'r Beibl hwn. Dw i'n gwybod y gwnei di ei ddarllen o glawr i glawr a'i drysori am byth."

"Dyma Feibl annwyl Iesu
Dyma rodd deheulaw Duw;
Dengys hwn y ffordd i farw,
Dengys hwn y ffordd i fyw."

Gweddi:
O Arglwydd Iesu, mae gan bob un ohonom ryddid i ddarllen cannoedd o lyfrau yn ein cartrefi, yn yr ysgol ac mewn llyfrgelloedd. Cofia am blant bach yn y byd sydd heb gael eu dysgu i ddarllen oherwydd nad oes ganddyn nhw ysgolion na llyfrau.

Amen

Paul a Phedr

Yn yr Hen Destament cawn storïau am yr hen Frenhinoedd a'r proffwydi, pobol fel Moses, Dafydd a Joseff. Mae tri chwarter o'r Testament Newydd yn dweud hanes Iesu Grist o'r amser y cafodd ei eni tan ei farwolaeth a'i atgyfodiad. Yn fuan iawn ar ôl hynny digwyddodd rhywbeth rhyfedd iawn yn Jerwsalem ar ddydd Pentecost.

Y Sulgwyn

Daeth Pentecost i'r ddinas,
Pob disgybl yn drist,
Heb wybod beth oedd bwriad
Y ffrind a alwent Grist.

Ac yn y mud dawelwch
Daeth sŵn rhyw wynt o'r nen,
A thafod tân a welwyd
Yn hofran uwch pob pen.

Mewn braw rhuthrasant allan
I gyfarch dyn a dyn,
A'r iaith a ddaeth o'u genau
Oedd hysbys i bob un.

A dyna pam mae'r Sulgwyn
Yn Ŵyl i ni o hyd –
Pob Cristion yn cyhoeddi
Am Iesu trwy'r holl fyd.

Mae chwarter olaf y Testament Newydd yn sôn am beth ddigwyddodd ar ôl y diwrnod hwn – hanes pobol fel Paul, Pedr ac eraill yn teithio ymhell o Jerwsalem i bregethu am Iesu Grist, i wneud gwyrthiau wrth iacháu pobol ac i fedyddio pobol a'u derbyn fel Cristnogion. Rhywun sydd yn cael ei yrru i gyhoeddi neges ydi Apostol ac Apostolion oedd Paul a Phedr. Eu gwaith oedd rhoi gwybod i bawb a fedrent am fywyd Iesu Grist a'r ffordd y gwnaeth o ddysgu ei ddilynwyr i fod yn Gristnogion a byw bywyd da.

Teithiodd Paul i gychwyn i Ynys Cyprus. Aeth yr ail daith â fo i Antioch yn Syria ac wedyn i Thesalonia yng Ngwlad Groeg. Roedd Paul yn awyddus i fynd yn bellach a'r trydydd tro y teithiodd aeth i bregethu am Iesu Grist yn Rhufain yn yr Eidal. Cafodd Paul a Phedr eu carcharu nifer o weithiau. Tra oedd Paul yn y carchar yn Rhufain, ysgrifennodd nifer o lythyrau at bobol yn Effesia, Philipi, ac at y Colosiaid. Y rhain yw'r llythyrau sydd yn rhan olaf y Testament Newydd ac maent yn bwysig oherwydd eu bod yn ffordd o ddysgu pobol hyd yn oed heddiw sut i fod yn Gristnogion.

Gweddi:
Diolchwn fod yr Apostolion wedi teithio i wledydd eraill i rannu'r Newyddion Da am Iesu Grist. Rydym mor falch fod pobl o'r gwledydd hynny wedi dod i Gymru a rhannu'r newyddion efo ni.

Amen

Emmeline Pankhurst

Pan fyddwch chi yn ddeunaw oed fe fyddwch chi efo'r hawl i bleidleisio. Cewch bleidleisio i gael cynghorwyr neu os oes Etholiad Cyffredinol fe gewch chi bleidleisio i gael Aelod Seneddol. Pe tawn i'n dweud mai dynion yn unig a gaiff bleidleisio, beth fyddai eich ymateb chi'r merched?

Ar un adeg dim ond dynion ariannog oedd yn cael pleidleisio ac wedyn y rhai oedd yn berchnogion tai. Yn 1872 roedd dynion yn cael pleidleisio yn gyfrinachol fel bod neb arall yn gallu gweld lle roedd y groes yn cael ei rhoi.

Tua chanrif yn ôl fe ddechreuodd y merched brotestio. Roedden **nhw** eisiau cael pleidlais hefyd. Arweinwyr y protestio oedd Emmeline Pankhurst a'i merch Christabel ac roedd pawb a oedd yn protestio yn galw eu hunain yn Suffragettes.

Ar y cychwyn torri ar draws cyfarfodydd a wnâi'r Suffragettes ond cafodd eu cais ei wrthod. Trefnodd Mrs Pankhurst i'r protestwyr fynd i Lundain. Yno fe wnaeth llawer o'r merched glymu eu hunain i'r rheiliau yn Stryd Downing. Fe laddwyd un wraig pan daflodd ei hun o dan geffyl. Ar ôl y gwaith caled a wnaeth y merched hyn yn ystod y rhyfel, fe wnaeth y Prif Weinidog benderfynu y dylai'r merched gael pleidleisio.

Cofiwch ferched, pan fyddwch yn rhoi croes ar eich cerdyn pleidleisio ymhen ychydig o flynyddoedd, mai i Emmeline Pankhurst y dylech chi ddiolch am yr hawl i gael gwneud hynny.

Gweddi:

Rwy Ti'n gwybod yn well na ni O Dduw fod llawer o ferched yn dy fyd yn israddol. Mae nhw'n torri cyfraith os ydyn nhw'n dangos eu hwynebau yn gyhoeddus. Mae na enethod ifanc a phlant yn cael eu cam-drin. Ers talwm yn ein gwlad ni dim ond y dynion oedd efo swyddi. Diolchwn i Ti fod dynion a merched yn ein gwlad ni yn gyfartal.

Amen

Dewrder mewn Rhyfel

Mae rhywun yn meddwl mai'r milwyr yn unig sy'n ddewr pan fo rhyfel ond dyma i chi hanes dwy ferch, un o Loegr ac un o Gymru a fu mor ddewr â'r milwyr.

Yn 1854 roedd Ffrainc a Phrydain yn rhyfela yn erbyn Rwsia yn y Crimea. Clywodd merch o'r enw Florence Nightingale mai ychydig o ofal a oedd y milwyr a oedd wedi eu clwyfo yn gael. Felly aeth allan i Ysbyty Scutari yn y Crimea gydag ychydig o nyrsus i drio gofalu am y cleifion. Roedd yn waith anodd iawn. Roedd yr ysbyty yn fudr ac nid oedd digon o welyau nac adnoddau ar gyfer y milwyr, ond fe weithiodd Florence Nightingale a'i chriw ddydd a nos i'w nyrsio. Cafodd Florence ei galw "The Lady with the lamp."

Roedd na ferch ddewr arall yn ystod y Rhyfel Crimea – dynes o'r enw Beti Cadwaladr o'r Bala. Pan oedd hi'n 14 oed aeth i weithio fel morwyn i Lerpwl. Pan gafodd swydd fel morwyn gyda Capten llong a'i deulu, cafodd gyfle i grwydro'r byd, gan gynnwys blwyddyn yn Awstralia tra oedd llong y Capten yn cael ei hatgyweirio. Roedd hi'n ddynes grefyddol iawn ac roedd yn awyddus i helpu eraill.

Pan oedd hi'n 46 oed aeth i ysbyty yn Llundain i gael ei hyfforddi fel nyrs. Penderfynodd wedyn, ar ôl clywed am waith Florence Nightingale yn y Crimea, fynd yno i helpu ond ychydig iawn o groeso a gafodd. Yn y diwedd aeth i nyrsio yn yr Ysbyty yn Balaclafa, ond roedd cyflwr yr ysbyty yn Balaclafa yn waeth na'r un yn Scutari.

Gweithiodd Beti Cadwaladr mor galed fel yr aeth yn sâl a bu'n rhaid iddi hi ddod yn ôl i Brydain. Treuliodd y gweddill o'i hoes yn Llundain a bu farw yn ddynes dlawd iawn. Pan ddaeth Florence Nightingale adre fe gafodd hi wobr o £45,000 am ei gwaith a defnyddiodd yr arian i sefydlu Coleg i hyfforddi nyrsus.

Gweddi:
Diolch am ddewrder merched fel Florence Nightingale a Beti Cadwaladr. Er mai dim ond un a gafodd ei gwobrwyo, roedd gwaith y ddwy yn gyfartal yng ngolwg Duw.

Amen

Marie Curie

Pan ydach chi'n astudio Gwyddoniaeth yn yr ysgol mi rydach chi'n cael cyfle i ymchwilio yn union fel Gwyddonwyr enwog y byd. Louis Pasteur o Ffrainc a wnaeth ddarganfod fod brechiad yn gallu atal clefydau. Alexander Fleming o'r Alban a wnaeth ddarganfod penisilin sydd yn lladd bacteria yn eich corff. Robert Koch o'r Almaen a wnaeth ddarganfod beth oedd yn achosi twbercwlosis. A gŵr a gwraig o'r enw Pierre a Marie Curie a wnaeth ddarganfod radiwm, sydd heddiw yn cael ei ddefnyddio i drin pobol sydd efo cancr. Am eu gwaith enillodd y ddau Wobr Ffiseg Nobel, sef gwobr sy'n cael ei rhoi i Wyddonwyr gorau y flwyddyn.

Ar ôl i Pierre gael ei ladd mewn damwain, enillodd Marie Curie wedyn y Wobr Cemeg Nobel. Yn ystod yr Ail Ryfel Byd bu Marie'n mynd o amgylch yn defnyddio ei gwybodaeth i drin milwyr a oedd wedi eu clwyfo. Oherwydd ei gwaith roedd defnydd o radiwm yn rhoi canlyniadau gwell wrth ddefnyddio techneg Pelydr X.

Yn 1918 aeth Marie Curie yn Bennaeth yr Institiwt Radiwm ym Mharis. Yno roedd hi'n hyfforddi tîm o wyddonwyr i ymchwilio ymhellach i'r hyn oedd hi wedi ei ddarganfod. Mae na lawer o bobol heddiw sy'n gwella ar ôl bod yn dioddef o gancr – diolch i Marie Curie.

Efallai, wrth ymchwilio mewn gwersi Gwyddoniaeth, y byddwch chithau hefyd yn darganfod rhywbeth a fydd o werth mawr i bobol eraill – dyna beth a wnaeth Marie Curie.

Gweddi:

Rhoddwn ddiolch i Ti O Dad nefol am wyddonwyr fel Marie Curie a lwyddodd trwy waith ymchwil i ddarganfod radiwm. Mae ein dyled yn fawr i'r gwyddonwyr sydd wedi darganfod brechiadau, ffisig a thabledi sydd yn ein gwella pan fyddwn yn sâl. Gofynnwn i Ti roi hyder a doniau i wyddonwyr eraill yn y dyfodol fel y bydd na sicrwydd o wellhad i bob afiechyd sydd yn y byd.

Amen

Gladys Aylward

Os ydach chi wedi cael newydd da y peth cyntaf ydach chi am ei wneud ydi dweud y newydd wrth eich ffrindiau. Mae newydd da yn rhywbeth i'w rannu. Fe wnaeth Iesu Grist ddweud hynny un tro pan oedd o'n sôn am y Ddafad Golledig. A dyna yn union a wnaeth Gladys Aylward ond rhannu'r newydd da am Iesu Grist a wnaeth hi.

Pan oedd hi'n ferch ifanc roedd hi wedi darllen erthygl am Tsieina. Yno roedd na filiynau o bobol nad oeddent wedi clywed am Dduw a'i fab Iesu Grist. Penderfynodd Gladys Aylward gael ei hyfforddi fel cenhades ond bu raid iddi ddisgwyl am flynyddoedd cyn cael y cyfle i fynd i Tsieina.

Ar yr adeg yr oedd hi'n teithio yno roedd Tsieina a Rwsia yn rhyfela yn erbyn Siapan. Roedd hi'n daith beryglus iawn ond ar ôl cyrraedd Yang Chen aeth i helpu Cenhades arall a oedd yn cadw Gwesty. Dysgodd Gladys siarad iaith Tsieina a chyn bo hir roedd hi'n gofalu am y rhai a oedd yn amddifad a heb gartref.

Yn y cyfnod hwnnw roedd traed pob hogan fach yn cael eu clymu'n dynn efo cadachau. Roedd hyn yn atal eu traed rhag tyfu'n iawn. Cafodd Gladys y swydd o fod yn Arolygydd Traed ac wrth wneud ei gwaith dechreuodd ddweud storïau allan o'r Beibl a rhannu ei syniadau am Dduw, Iesu Grist a sut i fyw bywyd da.

Gwaethygodd y rhyfel ac roedd bywyd yn y gwesty yn beryglus yn enwedig gan fod plant yno. Penderfynodd Gladys ddianc efo'r cant o blant a mynd â nhw dros y mynyddoedd i dalaith Siám. Fe gymerodd y daith 27 o ddiwrnodau ac fe gyrhaeddodd pawb yn ddiogel. Ar ôl i'r rhyfel orffen aeth Gladys o bentref i bentref yn dweud wrth bawb am hanes yr Iesu.

Cafodd stori Gladys Aylward, un o ferched dewraf y byd, ei gwneud yn ffilm flynyddoedd yn ôl a defnyddiwyd y mynyddoedd o gwmpas Beddgelert fel cefndir i'r ffilm.

Gweddi:
O Dduw, fe ddywedodd yr Iesu wrth ei ddisgyblion am ddweud wrth bawb amdanat Ti. Diolchwn am genhadon fel Gladys Aylward a oedd yn ddigon dewr i fynd i wlad Tsieina i rannu'r newyddion da am Gristnogaeth.
Amen

Ann Griffiths

Pe tae na gystadleuaeth wedi cael ei chynnal yng Nghymru yn 1806, a honno'n gystadleuaeth i ddewis y cyfansoddwr gorau, mi fyddai'r wobr wedi cael ei rhoi i ferch ifanc o'r enw Ann Griffiths.

Cafodd Ann ei geni mewn ffermdy o'r enw Dolwar Fach yn Sir Drefaldwyn, ardal sydd heddiw'n cael ei galw yn Bowys. Byddai Ann yn mynd i'r eglwys bob dydd Sul ac yn ystod yr wythnos byddai'n cael hwyl a sbri yn mynd i Nosweithiau Llawen a dawnsfeydd – beth sydd heddiw'n cael ei alw'n Gig. Yr adeg honno roedd rhai capelwyr yn credu ei fod o'n bechod yn erbyn Duw ddawnsio fel hyn.

Un diwrnod aeth Ann i gapel wrth ymyl i wrando ar ddyn o'r enw y Parchedig Benjamin Jones yn pregethu. Pan oedd Ann yn 23 oed ymunodd â Seiat y Methodistiaid a dechreuodd gyfansoddi caneuon crefyddol. Roedd ganddi forwyn o'r enw Ruth. Ar ôl cyfansoddi cân byddai Ann yn ei chanu i Ruth, drosodd a throsodd. Caneuon arbennig iawn oedd rhain. Rhoddodd Ann y gorau i ddawnsio, ychydig cyn iddi hi sgwennu'r caneuon. Roedd hi wedi newid o fod yn ferch â'i phen yn y gwynt i fod yn ferch grefyddol iawn, yn caru Duw ac yn byw bywyd da.

Stori drist yw stori Ann. Yn fuan iawn ar ôl iddi hi briodi ffarmwr o'r enw Thomas Griffiths, mi fuodd hi farw pan oedd hi'n 29 oed. Ond roedd Ruth wedi cofio'r caneuon a gyfansoddodd Ann, ac fe wnaeth hi a'i gŵr eu sgwennu er mwyn iddyn nhw gael eu cyhoeddi mewn llyfrau emynau.

Yn anffodus mi fyddai Ann wedi marw cyn derbyn Gwobr y Cyfansoddwr Gorau pe tae na gystadleuaeth wedi bod. Mae'r emynau yn dal i gael eu canu hyd heddiw mewn capeli ac eglwysi. Dyma un emyn poblogaidd:

> Wele'n sefyll rhwng y myrtwydd
> Wrthrych teilwng o'm holl fryd,
> Er o ran yr wy'n ei nabod
> Ef uwch holl wrthrychau'r byd;
> Hyfryd fore!
> Caf ei weled fel y mae.

Gweddi:
Gwlad gyfoethog yw Cymru ein gwlad. Diolchwn am y cyfoeth hwnnw yn enwedig am y llenyddiaeth a'r farddoniaeth sydd wedi cael eu hysgrifennu ar ein cyfer ni. Dysg ni i barhau y traddodiad o lenydda a barddoni er mwyn eraill yn y dyfodol.

Amen

Llyfrau

Llyfrau mawr, llyfrau bach, llyfrau trwchus, llyfrau tenau, hen lyfrau, llyfrau newydd, llyfrau â phrint yn unig, llyfrau lliwgar a.y.y.b. Mae'n rhaid fod na filiynau o lyfrau gwahanol o gwmpas.

1.   Dyma lyfr o Hwiangerddi. Ers talwm roedd hwiangerddi yn cael eu cadw ar gof ond erbyn heddiw mae nhw'n cael eu sgwennu a'u cynnwys mewn llyfr.

2.   Llyfr stori yw hwn, stori am Rwdlan y wrach fach. Mae'r stori wedi cael ei sgwennu gan Angharad Tomos ac mae na gyfres o storïau tebyg.

3.   Ambell dro mae llyfr yn rhoi gwybodaeth yn hytrach na stori. Dyma i chi enghraifft. Llyfr yw hwn sy'n dangos lluniau adar ac mae na wybodaeth i'w chael am bob aderyn.

4.   Mae rhai llyfrau gwybodaeth yn debyg i hwn ac yn cael ei alw'n Wyddoniadur. Mae'n rhoi gwybodaeth i chi am bob dim dan yr haul.

5.   Dyma Atlas. Bydd hwn yn dangos i ni ble mae'r gwahanol wledydd. Mae llun o Gymru i'w weld ar dudalen....

6.   Dyma lyfr sy'n perthyn i'r gegin. Llyfr coginio ydi o ac fe geir pob math o rysetiau ynddo ar gyfer pob math o brydau.

7.   Dw i'n hoffi darllen barddoniaeth ddigri. Mae lluniau digri yn y llyfr hefyd. Fy hoff gerdd i ydi........

8.   Dyma lyfr a fyddai'n ddefnyddiol iawn pe bae chi'n mynd i Ffrainc i dreulio'ch gwyliau. Geiriadur ydi hwn. Gyferbyn â phob gair Ffrangeg mae'r gair Saesneg yn cyfateb.

9.   Mae na un llyfr sydd wedi cael ei gyfieithu i nifer o ieithoedd. Mae'n llyfr hen iawn ac mae 'na storïau ynddo am Iesu Grist. Enw'r llyfr yma yw'r Beibl.

Mae sgwennu llyfr yn gallu bod yn broses hir. Awdur ydi'r enw am yr un sydd wedi ei sgwennu. Rhaid i Gyhoeddwyr wedyn ei argraffu a'i gyhoeddi cyn i chi ei weld mewn siop.

Gweddi:

Am lyfrau bach a llyfrau mawr,	*Diolchwn i Ti;*
Am lyfrau tew a llyfrau tenau	*Diolchwn i Ti,*
Am storïau a barddoniaeth	*Diolchwn i Ti*
Am straeon a gwybodaeth,	*Diolchwn i Ti,*
Am lyfrau Cymraeg	*Diolchwn i Ti,*
Am y Beibl a hanes yr Iesu	*Diolchwn i Ti*

Amen

William Shakespeare

Yng nghanolbarth Lloegr mae na le o'r enw Stratford upon Avon.Bydd miloedd o bobl yn heidio yno bob blwyddyn oherwydd mai yno y cafodd William Shakespeare ei eni yn agos i 500 mlynedd yn ôl. Bardd a dramodydd oedd Shakespeare. Roedd o'n hoffi sgwennu sonedau ond rydan ni'n ei gofio'n bennaf am sgwennu dramâu.

Mae modd rhannu ei ddramâu i dri grŵp:

1. Comedïau
Stori sy'n gwneud i chi chwerthin yw comedi. Yn "A Midsummer Night's Dream" fe gawn stori ddiddorol am dylwyth teg a hud a lledrith. Mae "Twelfth Night" hefyd yn gomedi.

2. Trasiedïau
Stori drist yw trasiedi. Stori dau gariad a gawn yn "Romeo a Juliet." Mae teulu'r ddau yn casáu ei gilydd ac yn y diwedd mae Romeo a Juliet yn marw. Dwy ddrama arall boblogaidd yw "Hamlet" a "King Lear".

3. Hanesyddol
Mae'r dramâu hyn yn rhoi hanes rhai o Frenhinoedd Lloegr, Richard lll, Henry lV, Henry V, King John ac eraill. Mae rhai hefyd yn sôn am hanes gwledydd eraill. Er enghraifft mae "Anthony and Cleopatra" a "Julius Caesar" yn rhoi hanes Rhufain i ni. Mae sôn yn y dramâu hyn hefyd am Owain Glyndŵr a Llywelyn – sef Tywysogion Cymru.

Mae na Theatr arbennig yn Stratford upon Avon lle mae dramâu Shakespeare yn cael eu perfformio'n rheolaidd. Bydd cannoedd o bobol yn mynd i'w gweld, er bod y dramâu wedi cael eu hysgrifennu 500 o flynyddoedd yn ôl.

Roedd na ddramodydd yng Nghymru ers talwm o'r enw Twm o'r Nant a fyddai'n mynd o amgylch Cymru yn perfformio ei ddrama "Tri Chryfion Byd." Drama symudol oedd hon a oedd yn cael ei pherfformio ar ben wagen!

Gweddi:
Rhoddwn ddiolch i Ti O Dduw am ddramodwyr enwog a ysgrifennodd ddramâu sydd yn cael eu perfformio i ni hyd heddiw. Diolchwn am actorion a chynhyrchwyr sydd yn cyflwyno dramâu i ni ar lwyfan ac ar y teledu.

Amen

Roald Dahl

(Dangos eirinen wlanog)

Pe tawn i'n rholio eirinen wlanog anferth i mewn i'r neuadd ma, am ba awdur y buasai hyn yn eich atgoffa?

Roald Dahl a ysgrifennodd y llyfr "James and the Giant Peach." Fedrwch chi enwi llyfrau eraill gan yr un awdur? ("BFG", "The Twits", "Fantastic Fox", "Charlie and the Chocolate Factory") Cafodd Roald Dahl ei eni yng Nghaerdydd. Ar ôl bod yn yr ysgol aeth i weithio gyda chwmni olew yn Affrica. Pan oedd o'n beilot awyren yn ystod y rhyfel cafodd ei anafu'n ddrwg pan fethodd ei awyren â glanio'n iawn. Dyna'r adeg yr aeth o i America i ddechrau sgwennu llyfrau i blant. Ei lyfr cyntaf oedd "The Gremlins".

Roedd o'n ddyn diddorol iawn. Doedd o ddim yn hoffi pobol oedd efo annwyd, pobol oedd yn dweud celwydd, ac roedd yn well ganddo'r Pasg na'r Nadolig oherwydd efallai ei fod mor hoff o siocled!

Ei hoff bethau oedd garddio, chwaraeon o bob math a gwrando ar gerddoriaeth. Oherwydd ei fod yn ddyn mor dal, doedd o ddim yn hoffi eistedd yn llonydd mewn sinema neu theatr. Roedd o hefyd yn annog plant i ddarllen ac roedd o'n Gadeirydd y Readathon.

Gweddi:
Diolch O Dduw am nofelwyr sydd yn sgwennu nofelau, dramodwyr sydd yn sgwennu dramâu, digrifwyr sydd yn sgwennu llyfrau jôcs, haneswyr sydd yn sgwennu llyfrau am y gorffennol, a phawb sydd yn sgwennu llyfrau gwybodaeth.

Amen

C.S. Lewis

Un tro roedd na griw o bobol yn sefyll o amgylch maen carreg mawr a oedd yn edrych fel allor. Roedd golwg greulon ar y bobol hyn – rhai fel anghenfil, rhai fel teirw, rhai fel bleiddiaid a rhai â chyrn teirw ar eu pennau. Yn eu canol safai gwrach. Cerddodd Aslan y llew i'w canol. "Mae'r ffŵl wedi dod. Clymwch o," meddai'r wrach. Rhyfedd nad oedd Aslan am ddefnyddio'i gryfder a'u hymladd! Daeth pedair dynes hyll ato a'i glymu efo rhaffau tew. Yna daeth corachod drwg a mwncïod ffyrnig i'w rolio mewn mwy o raffau. Roedd pawb yn sgrechian a gweiddi. Pawb ond Aslan. Wnaeth o ddim cwyno hyd yn oed pan oedd y rhaffau yn torri i'w gnawd.

"Arhoswch", gwaeddodd y wrach. "Mae'n rhaid iddo gael ei siafio", a dyma'r dorf yn dechrau gweiddi a chwerthin eto wrth weld cawr hyll yn torri mwng Aslan. "Rhowch ffrwyn ar ei wyneb a'i geg", gwaeddodd y wrach, ac ar ôl i hynny gael ei wneud, aeth pawb ato a'i gicio, ei wawdio, ei daro a'i bryfocio. Yna ar ôl iddyn nhw flino ei boenydio, gwthiodd pawb ef a'i godi ar ben y Bwrdd Carreg. Rhoddodd rhywun fwy o raff drosto a'i glymu i'r bwrdd, fel na allai symud. Tawelodd y dyrfa a daeth y wrach at Aslan. "A phwy sydd wedi ennill rwan," gwaeddodd. Yn ei llaw, cariai gleddyf hir. Cododd ei llaw yn uchel uwchben Aslan a bloeddiodd y dyrfa.

Tra oedd hyn wedi bod yn digwydd, roedd dwy eneth o'r enw Lucy a Susan wedi bod yn cuddio tu ôl i'r llwyni, yn gwylio'r creulondeb. Pan welodd y ddwy fod y wrach yn mynd i ladd Aslan, caeodd y ddwy eu llygaid a dechrau crio.

Rhan ydi'r stori hon o lyfr "The Lion, the Witch and the Wardrobe." Cafodd y llyfr ei sgwennu gan C. S. Lewis ac mae na fwy o anturiaethau mewn llyfrau eraill yn y gyfres "Llyfrau Narnia".

Mae'r stori a glywsoch chi heddiw yn debyg iawn i stori yn y Beibl am Iesu Grist, pan gafodd o ei wawdio a'i ladd. Mae rhan arall i stori Aslan ond mae'n rhaid i chi gael y llyfr o siop neu o lyfrgell i weld beth sy'n digwydd nesaf.

Gweddi:
Mae na lawer o lyfrau sydd yn ddrud i'w prynu ond rydym yn ffodus fod gennym lyfrgelloedd er mwyn i ni gael benthyg llyfrau. Dysg ni i ofalu O Dduw am bob peth yr ydym yn ei fenthyg yn enwedig llyfrau. Does neb eisiau darllen llyfr sydd yn fudr ac wedi colli ambell dudalen. Felly mae ganddom ni gyfrifoldeb er mwyn darllenwyr eraill.

Amen

Angharad Tomos

Mae na rai awduron sy'n sgwennu ar gyfer plant yn unig a rhai eraill yn sgwennu ar gyfer oedolion. Ond mae un o'n hawduron enwocaf ni yng Nghymru, Angharad Tomos yn sgwennu storïau a nofelau ar gyfer pob oed.

Cael un syniad mae hi i gychwyn. Un diwrnod cafodd syniad am wneud stori am wrach fach hoffus a chellweirus. Ar ôl cael y syniad rhaid oedd iddi hi wedyn greu'r cymeriad. Lluniadodd wyneb crwn, efo llygaid direidus, ceg, trwyn bach smwt, het ar ei phen, gwallt du a gwisg ddu. Yna cafodd y wrach fach yr enw Rwdlan. Roedd angen i Rwdlan gael ffrindiau. Felly dyma greu a chyflwyno Rala Rwdins, Llipryn Llwyd, Strempan a Dewin Dwl. Erbyn hyn mae na bob math o storïau wedi cael eu sgwennu am y criw bach direidus.

Yn 1991 fe enillodd Angharad Tomos y Fedal Ryddiaith yn yr Eisteddfod Gendlaethol yn yr Wyddgrug. Gwobr bwysig iawn yw'r Fedal Ryddiaith sy'n cael ei rhoi i'r llenor gorau mewn Eisteddfod. Fe enillodd hi'r un wobr eto yn 1995.

Mae Angharad Tomos wedi gwneud llawer o areithiau pwysig dros yr Iaith Gymraeg. Mae'n bwysig felly er mwyn cadw'r iaith ein bod yn siarad Cymraeg ac yn darllen llyfrau Cymraeg.

Mae'n bwysig hefyd os ydach chi'n hoffi sgwennu storïau, eich bod yn rhoi eich syniadau ar bapur. Pwy a ŵyr, efallai y byddwch chi ryw ddiwrnod mor enwog ag Angharad Tomos.

Gweddi:
Diolch i Ti, O Dad, am yr holl lyfrau Cymraeg sydd gennym yn ein cartrefi, yn ein hysgolion, yn ein llyfrgelloedd ac yn ein siopau. Byddwn yn edrych ymlaen bob Nadolig ac at bob Eisteddfod ym mis Awst i gael gweld pa lyfrau Cymraeg newydd fydd yn cael eu gwerthu. Diolch hefyd am awduron Cymraeg, argraffwyr a'r holl siopau sydd yn gwerthu'r llyfrau.

Amen

Ein cynefin

(Llun arth wen ar gefndir o dywod anialwch, llun jiráff ar gefndir o eira a rhew, llun o bysgodyn mewn coeden, llun aderyn â'i nyth ar donnau môr)

Os edrychwch chi'n fanwl ar y lluniau hyn fe welwch chi fod rhywbeth o'i le ymhob llun. Cynefin ydi'r gair sy'n disgrifio lle mae pob anifail yn byw – gwybed, adar, pryfaid genwair, pysgod a.y.y.b. Os ewch chi allan i'r buarth a chodi carreg, fe welwch chi wrachen ludw – am mai dyna y math o gynefin mae hi'n ei hoffi sef rhywle tywyll a llaith.

Os ewch chi i'r anialwch lle mae'r tywod yn boeth dan oleuni'r haul, fe welwch chi sgorpion efallai ond wnewch chi byth weld arth wen !! Os ewch chi i Wlad yr Iâ fe welwch chi forlo efallai neu bengwin ond wnewch chi byth weld jiráff!! Wnewch chi byth weld pysgodyn yn byw mewn coeden na nyth aderyn yn arnofio yn y môr!! Pe baem ni'n mynd allan i'r buarth heddiw mi fydden ni'n gweld llawer o drychfilod bach ac mi fyddai cynefin llawer ohonyn nhw yn wahanol.

Mae anifail yn hapus mewn cynefin arbennig oherwydd ei fod o'n hoffi lleithder neu sychder. Yno y bydd o'n cael ei fwyd ac yno y bydd o'n magu ei rai bach.

Rydan ni'n byw mewn cynefin hefyd. Byddwn yn galw beth sydd o'n hamgylch yn amgylchedd. Mae dyletswydd ar bob un ohonom i edrych ar ôl ein cynefin a chadw'r amgylchedd yn bur ac yn lân.

Gweddi:
Diolchwn i Ti O Dduw am yr amrywiaeth o gynefinoedd sydd yn dy greadigaeth, yr anialwch i'r camel a'r sgorpion, y jyngl i'r jiráff a'r llew, y môr a'r afonydd i'r pysgod, yr ardd i drychfilod bach, y coedwigoedd i'r adar, y caeau i lygod y maes, a'r wlad neu'r dref i ninnau. Dysg ni i barchu a gofalu am bob cynefin er mwyn ni'n hunain a bywyd gwyllt dy fyd.

Amen

Newid Lliw

Roedd gen i gymydog un tro a oedd yn cadw pryfaid pric. Dw i ddim yn hoff iawn o bryfaid felly, ond pan ofynnodd hi i mi ofalu amdanyn nhw tra oedd hi ar ei gwyliau, doedd gen i ddim dewis a bu raid i mi gytuno.

Pan gefais i'r bocs tryloew gan fy nghymydog, fedrwn i ddim gweld y pryfaid pric oherwydd roedden nhw'n edrych yn union fel canghennau'r dail yr oedden nhw'n sefyll arnyn nhw! Doedden nhw'n costio dim i'w cadw a doedden nhw ddim angen cymaint â hynny o ofal – dim ond mynd i gasglu dail prifet bob diwrnod iddyn nhw a glanhau'r cawell.

Un bore roedd y pryfaid pric wedi dod allan o'r cawell yn ystod y nos, ac roedden nhw ar goll. Ar ôl chwilio amdanyn nhw am tua hanner awr, fe'u gwelais nhw o'r diwedd yn sefyll ar ymyl y llenni. Roedd y llenni yn wyrdd ac roedd y pryfaid pric yn wyrdd hefyd. Felly nid oedden nhw'n hawdd i'w gweld.

Mae na lawer o anifeiliaid yn y byd sydd yn gallu newid eu lliw. Trwy wneud hyn mae nhw'n amddiffyn eu hunain rhag i anifeiliaid eraill ymosod arnyn nhw. Fel arfer mae nhw'n edrych yr un lliw â'u cynefin. Yr anifail sy'n gallu newid ei liw yn well nag unrhyw anifail arall yw'r cameleon. Os ewch chi byth i'r coedwigoedd trofannol mae na gannoedd o bryfaid, ymlusgiaid ac adar yno sy'n gallu newid eu lliwiau fel na fedrwch chi eu gweld.

Dyna'n union pam na fedrais i weld y pry pric pan aeth o ar goll. Roedd o'n amddiffyn ei hun rhag ofn i mi ei weld a'i niweidio. Fuaswn i byth wedi ei niweidio. Mi roddais i o nôl yn y cawell yn ofalus – ar ben y dail prifet.

Gweddi:
Arglwydd Iesu, diolch am y lliwiau bendigedig sydd i'w gweld yn dy fyd. Mae glas yr awyr yn newid efo'r tywydd. Mae glas y môr yn newid efo glas yr awyr. Mae na gymaint o wahanol fathau o liwiau. Ni allwn ond rhyfeddu. Ond y rhyfeddod mwyaf yw gweld fod rhai trychfilod ac anifeiliaid yn gallu newid lliw eu croen ac felly mae'n anodd eu gweld yn eu cynefin.
Amen

Ein byd ni

Ein daear ni yw'r unig blaned sydd efo pethau byw yn tyfu arni hi. Fe gafodd y byd ei greu fel bod ganddom ni bob math o gynefinoedd ar gyfer pob math o fywyd:

(gellir enwi beth sy'n byw ym mhob cynefin)

1. Moroedd – e.e. pysgod, cregyn, gwymon
2. Llynnoedd – pysgod, planhigion dŵr, llyffantod
3. Mynyddoedd – defaid, gwybed, blodau gwyllt,
4. Creigiau – nythod adar, mwsogl,
5. Dyffrynnoedd – coed, glaswellt, llwyni
6. Caeau – cwningod, llygod y maes,
7. Gerddi – blodau, trychfilod, llysiau
8. Anialwch (Gogledd Affrica) – blodau cactws, camelod
9. Y Jyngl – mwncïod, nadroedd, crocodeil
10. Pegwn y De a'r Gogledd – arth wen, morloi, pengwin

Fe greodd Duw ein byd ni. Fe greodd o bobol fel ni i ofalu am y byd. Nid oedd yn disgwyl i ni ei lygru a'i ddifetha. Wrth lygru a gwenwyno'r amgylchedd, rydan ni hefyd yn gwenwyno ac yn lladd bywyd gwyllt. Rydan ni hefyd yn siomi Duw.

Gweddi

Am y jiráff a'r llew a'r teigr sy'n byw yn y jyngl,   *Diolch i Ti*
Am y gwartheg a'r defaid sy'n byw ar y mynydd,   *Diolch i Ti*
Am y morlo a'r pysgod a'r cranc sy'n byw yn y môr,   *Diolch i Ti*
Am flodau, trychfilod a llysiau sydd yn yr ardd,   *Diolch i Ti.*
Am bob math o gynefinoedd yn y byd,   *Diolch i Ti*
Am greu byd mor rhyfeddol,   *Diolch i Ti.*
                                                            Amen

Cadwyn Fwyd

Yn fy ngardd i mae gen i bob math o flodau a llysiau yn tyfu. Mae'n rhaid i mi ofalu amdanyn nhw'n rheolaidd – rhoi dŵr iddyn nhw os ydi'r tywydd yn boeth, eu clymu os oes na wynt rhag ofn iddyn nhw dorri cyn aeddfedu. Rhaid i mi hefyd ofalu nad oes dim yn eu bwyta na'u difetha.

Ym mhob gardd mi gewch chi bry genwair, malwod, affid gwyrdd, lindys, glöyn byw, buwch goch gwta a llawer o drychfilod eraill. Mae nhw yn yr ardd oherwydd eu bod yn hoffi bwyta pethau yno – fel fy mlodau a fy llysiau i! Yr ardd yw eu cynefin.

Os oes na drychfilod mewn gardd mae na adar hefyd, ac mae'r holl fywyd gwyllt hwn yn creu a dangos i ni beth ydan ni'n ei alw'n gadwyn fwyd.

(Gellir dangos ar daflunydd)

Dyma un gadwyn fwyd:

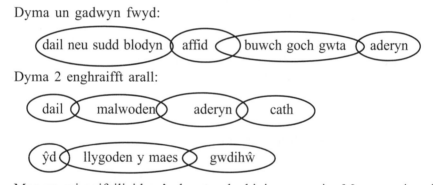

Dyma 2 enghraifft arall:

Mae na rai anifeiliaid sy'n bwyta planhigion yn unig. Mae na rai eraill sy'n bwyta anifeiliaid eraill. Meddyliwch am hyn:

Pe bai'r anifeiliaid yn bwyta ei gilydd ac nid llysiau ar ddechrau'r gadwyn – mi fuasai gormod o lysiau gwyrdd yn y byd.
A phe bae'r anifeiliaid i gyd yn bwyta llysiau yn unig – mi fuasai'n fyd rhyfedd iawn!

Gweddi:
Rhyfeddwn O Dduw at y byd a greaist a'r bywyd sydd ynddo. Gall y byd barhau am byth os gwnawn ni ofalu amdano. Mae'r pili pala efo cylch bywyd. Mae'r llyffant efo cylch bywyd. Mae dŵr a glaw yn creu cylchred. Mae'r tymhorau fel cylch o ddolenni. Mae'r cyfan wedi ei gynllunio'n gelfydd, a diolchwn i Ti.

Amen

Gofalu am yr Amgylchedd

(Cyfarpar gweld – ychydig o sbwriel, croen tatws, can gwag, papur newydd, potel wag, bag plastig)

Mewn rhai gwledydd mae'n rhaid i chi dalu dirwy os cewch chi'ch dal yn gollwng sbwriel ar y stryd neu mewn parc. Mae sbwriel ar lawr yn gwneud y lle'n flêr. Mae hefyd yn difetha'r amgylchedd. Oeddech chi'n gwybod:-

1. Fod 130 o filiynau o goed yn cael eu torri bob blwyddyn er mwyn i ni yn y wlad hon gael papur?
2. Fod un person yn ystod blwyddyn yn prynu tua 90 can o ddiod, 70 tin o fwyd a tua chant o boteli?
3. Y buasai'r holl sbwriel sy'n cael ei daflu bob diwrnod ym Mhrydain yn llenwi Sgwâr Trafalgar yn Llundain, hyd at ben y cerflun o Nelson?

I ofalu am ein hamgylchedd dyma beth ddylen ni ei wneud –
Rhoi sbwriel mewn bin ac nid ar y llawr.
Gwneud compost yn yr ardd efo sbarion ffrwythau a llysiau.
Mynd â chan fel hwn i'w ailgylchu.
Mynd â phapur fel hwn i'w ailgylchu.
Mynd â photel fel hon i'w hailgylchu.
Mynd â bag plastig fel hwn i'w ailgylchu neu ei ddefnyddio eto.

Wrth ail gylchu mae pob dim yn cael ei falu neu ei doddi i wneud mwy o ganiau, poteli a phapur.

Beth wnawn ni efo can fel hwn?	Beth wnawn ni efo'r papur hwn?
Ei gadw i'w ailgylchu .	Ei gadw i'w ailgylchu.
Bydd peiriant yn ei doddi i lawr	Bydd peiriant yn ei falu'n fân
Er mwyn ei adnewyddu	Er mwyn ei adnewyddu

A beth am y gweddillion hyn?
I'r domen cawn eu taflu.
I bydru'n araf yn y pridd
I wella tyfiant fory.

Gweddi:
Dduw Dad, Ti a greaist y byd ond mae dy fyd yn cael ei ddifetha.
Mae rhai afonydd yn cael eu llygru gan wenwyn.
Mae rhai coedwigoedd yn diflannu er mwyn cynhyrchu papur.
Mae tomenni sbwriel yn hyll ac maent yn cymryd blynyddoedd i ddiflannu.
Mae rhai pobl yn rhy ddiog i ailgylchu pethau fel papur, gwydr a chaniau,
Ac mae dy fyd Dduw Dad yn cael ei ddifetha.

Amen

Diwedd Tymor

Mae'r flwyddyn ysgol hon bron â dod i ben ac mae rhai ohonom yn gorffen mewn un dosbarth ac ar fin mynd i ddosbarth newydd, ac mae eraill yn gorffen yn yr ysgol hon ac ar fin mynd i ysgol newydd – sef Ysgol Uwchradd.

Ar ddiwedd y flwyddyn ysgol bydd pawb yn cael adroddiad. Mae'r adroddiad yn bwysig. Nid rhywbeth i'w roi yn y drôr ydi o, ond os ydach chi wedi cael adroddiad da, dangoswch o i Nain a Taid a rhywun arall yn y teulu a fyddai'n falch o'i weld. Os ydach chi wedi cael eich siomi efo'r adroddiad, peidiwch â'i roi o'r neilltu. Cadwch o lle gallwch chi edrych arno fo eto. Wrth sgwennu eich adroddiad mae eich athro neu eich athrawes yn awgrymu beth fedrwch chi ei wneud i wella eich gwaith. Cymerwch sylw o hynny.

Os ydach chi'n tueddu i siarad gormod yn y dosbarth yn lle gweithio, cofiwch hynny tymor nesaf. Os nad ydach chi'n ymarfer eich darllen yn rheolaidd, ceisiwch ddarllen mwy dros y gwyliau. Os ydi'ch gwaith yn flêr, cofiwch nad oes neb yn hoffi gwaith blêr a cheisiwch dacluso eich llawysgrifen.

Fedr pawb ddim bod yn dda ac yn alluog ym mhob dim ond mae pawb yn gallu ymdrechu a gwneud eu gorau.

Gweddi:
Mae'r flwyddyn ysgol hon bron ar ben. Diolchwn i Ti O Dduw am yr athrawon a'r gwaith mae nhw wedi ei wneud efo ni ers mis Medi diwethaf. Diolch am eu hymroddiad ac am eu hamynedd. Mae gennym ninnau ddoniau hefyd. Dysg ni i'w defnyddio a'u meithrin yn y dyfodol. Er mwyn Iesu Grist.

Amen

Tripiau

Mae'r plant ymhob dosbarth wedi cael bod am drip i rywle yn ystod yr wythnosau diwethaf. Mae pawb wedi cael hwyl ac wedi dysgu rhywbeth newydd. Dyma beth mae rhai o'r plant wedi sgwennu:

(*Gellir cael adroddiad byr gan ddisgybl o bob dosbarth*)

Gweddi:
Diolch O Dad am bawb a drefnodd i ni gael tripiau eleni. Diolch am oedolion a ddaeth yn wirfoddol i helpu ac i ofalu amdanom. Diolch am yr hwyl a gafodd pawb ac am bob dim a ddysgasom wrth fynd o le i le.

Amen

Mabolgampau

Tua diwedd y tymor bydd mabolgampau yn cael eu cynnal gan y mwyafrif o ysgolion. Roedd ein mabolgampau ni bythefnos yn ôl ac fe gafodd pawb hwyl. Roedd na ras ar gyfer pob dosbarth, ac ar ddiwedd y ras roedd gwobrau yn cael eu rhoi i bwy bynnag a oedd wedi ennill, neu wedi cael ail neu drydydd. Mewn rhai ysgolion bydd cyfanswm yn cael ei wneud o'r marciau terfynol ac yna bydd cwpan arbennig yn cael ei roi i'r tŷ a fydd wedi ennill.

Mae na ddwy wers y gallwn eu dysgu cyn neu ar ôl diwrnod mabolgampau.

Yn gyntaf os oes na ras gyfnewid mae'n rhaid i bawb yn y tîm ddeall ei gilydd a gwneud eu gorau. Edrychwch ar y gadwyn hon – pedair dolen sydd ynddi ond mae na un ddolen yn wannach na'r gweddill ac felly wrth dynnu'r gadwyn mae'n torri lle mae'r man gwan.

Yn ail, nid yw'n bosib i bawb ennill ras er y buasai pawb yn hoffi gwneud hynny. Beth sy'n bwysig ydi fod pawb sy'n cymryd rhan yn y ras yn gwneud eu gorau. Mae na frawddeg yn y Beibl yn dweud mai dim ond un sy'n ennill ras ond fe ddylai pawb sy'n rhedeg, redeg gyda'r bwriad o ennill.

Gweddi:
O Dduw, diolchwn i Ti am yr hwyl a gawsom eleni yn y mabolgampau, ac am y sgiliau mae pob un ohonom wedi eu dysgu yn y gwersi Addysg Gorfforol. Diolchwn hefyd ein bod wedi cyfarfod plant eraill wrth fynd i'w hysgolion i chwarae gêm bêl-droed neu bêl-rwyd. Mae'n braf cael gwneud ffrindiau newydd er bod ein tîm ni ambell dro wedi colli yn y gêmau.

Amen

Dyna beth oedd hwyl

Cyn i bawb ffarwelio â'i gilydd ar ddiwedd tymor a diwedd blwyddyn ysgol, dyma rai o'r gweithgareddau y gwnaethoch eu mwynhau fwyaf:

(*Gellir cael enghreifftiau gan blant o bob dosbarth*)

Plentyn 1: Roeddwn i'n hoffi gweld y pwll yn yr ardd a sylwi beth oedd ynddo.

a.y.y.b.

Gweddi:

Am gael mynd ar dripiau,	*Diolch i Ti*
Am gael partïon Nadolig,	*Diolch i Ti*
Am gael athrawon da	*Diolch i Ti*
Am gael canu bob bore,	*Diolch i Ti*
Am gael mynd i nofio	*Diolch i Ti*
Am gael cystadlu mewn Eisteddfod	*Diolch i Ti*
Am gael cofio'r pethau da	*Diolch i Ti*
Am y flwyddyn sydd o'n blaen	*Gofynnwn am dy fendith.*

Amen

Taflen newydd

Mae gen i dair taflen i'w dangos i chi – un lân, un â gwaith taclus arni hi a'r un olaf efo pob math o ysgrifen sydd wedi ei groesi allan. Dyma i chi sut mae llenor neu fardd yn dechrau sgwennu – mae'n rhoi geiriau ar bapur, mae'n ceisio creu brawddegau neu linellau o farddoniaeth. Ambell dro tydi'r geiriau ddim yn iawn a'r llinellau ddim yn ei blesio, felly mae'n eu croesi nhw allan ac yn eu sgwennu eto hyd nes mae'r stori neu'r gerdd yn ei fodloni. Pan mae'n hapus efo'r drafft olaf mae'n estyn taflen lân ac yn copïo'r gwaith yn daclus.

Mae rhywun yn troi tudalen er mwyn cael taflen lân gyda'r bwriad o wneud y gwaith gorau. A dyna beth ddylem ni i gyd ei wneud ar ddiwedd blwyddyn ysgol – cofio beth yr ydan ni wedi ei ddysgu, a throi tudalen i gael taflen lân ar gyfer gwaith a fydd yn well.

Gweddi:
Diolchwn O Dduw am flwyddyn arall yn yr ysgol. Wrth edrych yn ôl fe gofiwn am yr adegau hapus a'r adegau trist, am y gwaith anodd a'r gwaith hawdd, am y chwerthin a'r crio, am yr ennill a'r colli. Wyddom ni ddim sut flwyddyn fydd y nesaf, ond gofynnwn i Ti ofalu amdanom.

Amen